LA VOIE ROYALE

ŒUVRES D'ANDRÉ MALRAUX

La Tentation de l'Occident
La Voie royale
Royaume Farfelu
La Condition humaine
Le Temps du Mépris
L'Espoir
Esquisse d'une Psychologie du Cinéma
Scènes choisies
Les Noyers de l'Altenburg

*

LA GALERIE DE LA PLÉIADE
collection dirigée par André Malraux:

Saturne, essai sur Goya (illustré de 150 reproductions en héliogravure dont 20 en couleurs).

Tout l'œuvre peint de Léonard de Vinci (illustré de 60 reproductions en héliogravure, dont 38 hors-texte en couleurs).

Les Voix du Silence (illustré de 570 planches en héliogravure dont 15 hors-texte en couleurs).

Tout l'œuvre de Vermeer de Delft (illustré de 41 planches en héliogravure et de 41 hors-texte en couleurs).

Le Musée imaginaire de la Sculpture Mondiale (illustré de 720 planches en héliogravure, dont 16 hors-texte en couleurs).

*

BIBLIOTHÈQUE DE LA PLÉIADE
Romans : Les Conquérants — La Condition humaine — L'Espoir.

ÉDITION ILLUSTRÉE
Romans : La Tentation de l'Occident - Les Conquérants - La Voie royale - La Condition humaine - Le Temps du Mépris - L'Espoir - Les Noyers de l'Altenburg (32 aquarelles et gouaches par Edy Legrand, reliure de Paul Bonet).

Parus dans Le Livre de Poche :

La Voie royale
L'Espoir
La Condition humaine

ANDRÉ MALRAUX

La voie royale

ROMAN

CELUI QUI REGARDE LONGTEMPS
LES SONGES DEVIENT SEMBLABLE
A SON OMBRE.
PROVERBE MALABAR.

GRASSET

PREMIÈRE PARTIE

I

CETTE fois, l'obsession de Claude entrait en lutte : il regardait opiniâtrement le visage de cet homme, tentait de distinguer enfin quelque expression dans la pénombre où le laissait l'ampoule allumée derrière lui. Forme aussi indistincte que les feux de la côte somalie perdus dans l'intensité du clair de lune où miroitaient les salines... Un ton de voix d'une ironie insistante qui lui semblait se perdre aussi dans l'obscurité africaine, y rejoindre la légende que faisaient rôder autour de cette silhouette confuse les passagers avides de potins et de manilles, la trame de bavardages, de romans et de rêveries qui accompagne les blancs qui ont été mêlés à la vie des États indépendants d'Asie.

"Les hommes jeunes comprennent mal... comment dites-vous ?... l'érotisme. Jusqu'à la quarantaine, on se trompe, on ne sait pas se délivrer de l'amour : un homme qui pense, non à une femme comme au complément d'un sexe, mais au sexe comme au complément d'une femme, est mûr pour l'amour : tant pis pour lui. Mais il y a pis ; l'époque où la hantise du sexe, la hantise de l'adolescence, revient, plus forte. Nourrie de toutes sortes de souvenirs... "

Claude, sentant l'odeur de poussière, de chanvre et de mouton attachée à ses habits, revit la portière de sacs légèrement relevée derrière laquelle un bras lui

avait montré, tout à l'heure, une adolescente noire, nue,
(épilée), une éblouissante tache de soleil sur le sein droit
pointé; et le pli de ses paupières épaisses qui exprimait
si bien l'érotisme, le besoin maniaque, "le besoin
d'aller jusqu'au bout de ses nerfs", disait Perken...
Celui-ci continuait :

"— ... Ils se transforment, les souvenirs... L'imagination, quelle chose extraordinaire! En soi-même,
étrangère à soi-même... L'imagination... Elle compense toujours... "

Son visage accentué sortait à peine de la pénombre,
mais la lumière luisait entre ses lèvres, sur le bout de sa
cigarette, doré sans doute. Claude sentait que ce qu'il
pensait approchait peu à peu de ses paroles, comme
cette barque qui venait à lentes foulées, le reflet des
feux du bateau sur les bras parallèles des rameurs :

— Que voulez-vous dire exactement?

— Vous comprendrez de vous-même, un jour ou
l'autre... les bordels somalis sont pleins de surprises... "

Claude connaissait cette ironie haineuse qu'un
homme n'emploie guère qu'à l'égard de soi-même ou
de son destin.

"Pleins de surprises", répéta Perken.

"Lesquelles?" se demandait Claude. Il revoyait les
taches des lampes à pétrole entourées d'insectes, les
filles au nez droit, sans rien qui appelât le mot "négresse", sinon le blanc éclatant de l'œil entre la prunelle et la peau sombre; soumises à la flûte d'un
aveugle, elles avançaient en rond, chacune frappant
avec rage la croupe trop forte de celle qui la précédait.
Et, d'un coup, leur ligne se rompant avec la mélodie;
chacune, soutenant de la voix la note charnelle de la
flûte, s'arrêtant, la tête et les épaules immobiles, les
yeux fermés, tendue, se libérant en faisant vibrer sans
fin les muscles durs de ses fesses et de ses seins droits
dont la sueur accentuait le frémissement sous la lampe

à pétrole... La patronne avait poussé vers Perken une
fille toute jeune, qui souriait.

"Non, dit-il; l'autre, là-bas. Au moins ça n'a pas
l'air de l'amuser. "

"Sadique? " se demandait maintenant Claude. On
parlait des missions que le Siam lui avait confiées
auprès des tribus insoumises, de son organisation du
pays shan et des marches laotiennes, de ses rapports
singuliers avec le gouvernement de Bangkok, tantôt
cordiaux, tantôt menaçants; de la passion qu'on lui
prêtait naguère pour sa domination, pour cette puissance sauvage sur laquelle il ne permettait pas le
moindre contrôle, de son déclin, de son érotisme;
pourtant, sur ce bateau, il eût été entouré de femmes,
s'il ne s'en fût défendu. "Il y a quelque chose, mais ce
n'est pas le sadisme... "

Perken reposa sa tête sur le dossier de sa chaise
longue : son masque de brute consulaire apparut en
pleine lumière, accentué par l'ombre des orbites et
du nez.

La fumée de sa cigarette monta, droite, se perdit
dans l'intensité de la nuit.

Le mot sadisme, resté dans l'esprit de Claude, y
appela un souvenir.

"Un jour, on me mène, à Paris, dans un petit bordel
minable. Au salon il y avait une seule femme, attachée
sur un chevalet par des cordes, un peu Grand-Guignol,
les jupes relevées...

— De face ou de dos?

— De dos. Autour, six ou sept types : petits bour-
geois à cravates toutes faites et vestons d'alpaga (c'était
en été, mais il faisait moins chaud qu'ici...), les yeux
hors de la tête, les joues cramoisies, s'efforçant de faire
croire qu'ils voulaient *s'amuser*... Ils s'approchaient de
la femme, l'un après l'autre, la fessaient — une seule

claque chacun — payaient et s'en allaient, ou montaient au premier étage...

— C'était tout?

— Tout. Et très peu montaient : presque tous partaient. Les rêves de ces bonshommes qui repartaient en
remettant leur canotier, en tirant les revers de leur
veston...

— Des simples, tout de même...

Perken avança le bras droit, comme pour accompagner d'un geste une phrase, mais hésita, luttant contre
sa pensée.

— L'essentiel est de *ne pas connaître* la partenaire.
Qu'elle soit : l'autre sexe.

— Qu'elle ne soit pas un être qui possède une vie
particulière?

— Dans le masochisme plus encore. Ils ne se bat-
tent jamais que contre eux-mêmes... A l'imagination
on annexe ce que l'on peut, et non ce que l'on veut. Les
plus stupides des prostituées savent combien l'homme
qui les tourmente, ou qu'elles tourmentent, est loin
d'elles : savez-vous comment elles appellent les irréguliers? Des cérébraux...

Claude pensa que le mot : irréguliers, lui aussi... Il
ne quittait plus du regard ce visage tendu. Cette conversation était-elle orientée?

— Des cérébraux, reprit Perken. Et elles ont raison.
Il n'y a qu'une seule " perversion sexuelle " comme
disent les imbéciles : c'est le développement de l'imagination, l'inaptitude à l'assouvissement. Là-bas, à Bangkok, j'ai connu un homme qui se faisait attacher, nu,
par une femme, dans une chambre obscure, pendant
une heure...

— Eh bien?

— C'est tout; c'était suffisant. Celui-là était un
" perverti " parfaitement pur...

Il se leva. " Veut-il dormir, se demanda Claude, ou

rompre cette conversation?... " A travers la fumée qui
montait, Perken s'éloignait, enjambant l'un après
l'autre les négrillons qui dormaient entre les paniers de
coraux, la bouche ouverte, rose. Son ombre se raccour-
cissait; celle de Claude resta seule allongée sur le pont.
Ainsi, son menton avançant semblait presque aussi
vigoureux que les mâchoires de Perken. L'ampoule
bougea, et l'ombre commença à trembler : dans deux
mois, que resterait-il de cette ombre, et du corps qu'elle
prolongeait? Forme sans yeux, sans ce regard résolu
et anxieux qui l'exprimait bien plus, ce soir, que cette
silhouette virile qu'allait traverser le chat du bord. Il
avança la main : le chat s'enfuit. L'obsession retomba
sur lui.

Encore quinze jours de cette avidité; quinze jours à
attendre sur ce bateau, avec une angoisse d'intoxiqué
privé de sa drogue. Il sortit une fois de plus la carte
archéologique du Siam et du Cambodge; il la connaissait mieux que son visage... Il était fasciné par les
grandes taches bleues dont il avait entouré les Villes
mortes, par le pointillé de l'ancienne Voie Royale, par
sa menaçante affirmation : l'abandon en pleine forêt
siamoise. "Au moins une chance sur deux d'y cla-
quer... " Pistes confuses avec des carcasses de petits
animaux abandonnés près de feux presque éteints, fin
de la dernière mission en pays Jaraï : le chef blanc,
Odend'hal, assommé à coups d'épieux, la nuit, par les
hommes du Sadète du feu, dans le bruissement de
palmes froissées qui annonçait l'arrivée des éléphants
de la mission... Combien de nuits devrait-il veiller,
exténué, harcelé de moustiques, ou s'endormir en se
fiant à la vigilance de quelque guide?... On a rarement
la chance de combattre... Perken connaissait ce pays,
mais n'en parlait pas. Claude avait été séduit d'abord
par le ton de sa voix (c'était la seule personne du
bateau qui prononçât le mot : énergie, avec simplicité);

il y devinait que cet homme aux cheveux presque gris aimait bien des choses qu'il aimait aussi. Il l'avait entendu, pour la première fois, devant un grand pan rouge de la côte d'Égypte, conter dans un remous d'intérêt et d'hostilité la découverte de deux squelettes (des pilleurs de sépultures sans doute) trouvés lors des dernières fouilles de la Vallée des Rois sur le sol d'une salle souterraine d'où partaient des galeries tapissées à l'infini de momies de chats sacrés. Une expérience assez restreinte avait suffi à lui montrer que les imbéciles sont aussi nombreux parmi les aventuriers qu'ailleurs, mais cet homme l'intriguait. Depuis, il l'avait entendu parler de Mayrena, l'éphémère roi des Sedangs :

" Je pense que c'était un homme avide de jouer sa biographie, comme un acteur joue un rôle. Vous, Français, vous aimez ces hommes qui attachent plus d'importance à... voyons, oui... à *bien jouer le rôle* qu'à vaincre. "

(Claude se souvint de son père qui, à la Marne, quelques heures après avoir écrit : " Maintenant, mon cher ami, on mobilise le droit, la civilisation et les mains coupées des enfants. J'ai assisté dans ma vie à deux ou trois déferlements d'imbécillité : l'affaire Dreyfus n'était pas mal mais ceci est assurément supérieur aux essais précédents en tous points, et même en qualité ", s'était fait tuer avec un grand courage, en service volontaire.)

" Cette attitude, reprit Perken, exalte la bravoure, qui fait partie du rôle... Mayrena était très brave... Il a emmené à dos d'éléphant le cadavre de sa petite concubine chame, à travers la forêt insoumise, pour qu'elle pût être ensevelie comme les princesses de sa race (les missionnaires lui avaient refusé leur cimetière)... Vous savez qu'il est devenu roi en combattant deux chefs sedangs au sabre, et il a tenu quelque temps en pays jaraï... ce qui n'est pas très facile...

— Vous connaissez des gens qui ont vécu chez les Jaraï?

— Moi : huit heures.

— C'est court, répondit Claude en souriant.

Perken sortit de sa poche sa main gauche et la mit sous les yeux de Claude, les doigts écartés; chacun des trois plus grands était creusé d'un sillon profond, en spirale, comme un tire-bouchon.

— Avec les mèches, c'est assez long.

Blessé de sa maladresse, Claude hésita; mais Perken revenait à Mayrena :

" En somme, il est mort bien mal, comme presque tous les hommes... "

Claude connaissait cette agonie, sous une paillote de Malaisie : l'homme décomposé par son espoir trompé comme par une tumeur, terrifié par le son de sa voix que répercutaient les arbres géants...

— Pas si mal...

— Le suicide ne m'intéresse pas.

— Parce que?

— Celui qui se tue court après une image qu'il s'est formée de lui-même : on ne se tue jamais que pour *exister*. Je n'aime pas qu'on soit dupe de Dieu. "

Chaque jour la ressemblance que Claude avait pressentie était devenue plus évidente, accentuée par les inflexions de la voix de Perken, par sa façon de dire " ils " en parlant des passagers — et peut-être des hommes — comme s'il eût été séparé d'eux, par son indifférence à se définir socialement. Sous le ton de cette voix, Claude devinait une expérience humaine vaste, quoique peut-être minée en quelques points, et qui s'accordait à merveille à l'expression du regard : pesante, enveloppante, mais d'une singulière fermeté lorsqu'une affirmation tendait un instant les muscles fatigués du visage.

Maintenant, il était presque seul sur le pont. Il ne

dormirait pas. Rêver ou lire? Feuilleter pour la cen-
tième fois l'*Inventaire*, jeter encore son imagination,
comme sa tête contre un mur, contre ces capitales de
poussière, de lianes et de tours à visages, écrasées sous
les taches bleues des villes mortes? Et malgré la foi
têtue qui l'animait, retrouver ces obstacles qui déchi-
raient sa rêverie, toujours au même endroit, avec une
impérieuse constance?

Bab-el-Mandeb : Portes de la Mort.

Pendant chaque entretien avec Perken, les allusions
à un passé que Claude ignorait l'irritaient. La familia-
rité née de leur rencontre à Djibouti — s'il était entré
dans cette maison, non dans une autre, c'est qu'il avait
entrevu, sous le bras tendu d'une grande négresse
drapée de rouge et de noir, la forme confuse de Perken
— ne le délivrait pas de la curiosité angoissée qui le
poussait vers lui comme s'il eût prophétiquement vu
son propre destin : vers la lutte de celui qui n'a pas
voulu vivre dans la communauté des hommes, lorsque
l'âge commence à l'atteindre et qu'il est seul. Le vieil
Arménien avec qui il marchait parfois le connaissait
depuis longtemps, mais il parlait peu de lui, obéissant
à une préméditation inspirée sans doute par la crainte;
car, s'il était le familier de Perken, il n'était certainement pas son ami. Et, semblable au bruit constant des
machines sous le bruit changeant des paroles, l'obsession de la brousse et des temples revenait, recouvrait
tout, reprenait sur Claude sa domination anxieuse.
Dans le demi-sommeil, comme si l'Asie eût trouvé en
cet homme une puissante complicité, elle ramenait
jusqu'aux rêveries nées des Chroniques : départs d'armées dans l'odeur du soir plein de cigales avec de
molles colonnes de moustiques au-dessus de la poussière des chevaux, appels des caravanes au passage des
gués tièdes, ambassades arrêtées par la baisse des eaux

devant des bancs de poissons bleus par le ciel criblé
de papillons, vieux rois décomposés par la main des
femmes; et l'autre rêverie, indestructible : les temples,
les dieux de pierre vernis par les mousses, une gre-
nouille sur l'épaule et leur tête rongée, à terre, à côté
d'eux...

La légende de Perken, maintenant, rôdait dans le
bateau, passait de chaise longue à chaise longue comme
l'angoisse ou l'attente de l'arrivée, comme l'ennui mal-
veillant des traversées. Toujours informe. Plus de mystère imbécile que de faits, plus de gens empressés à
confier, entendus, derrière le cornet de leur main :
" Un type étonnant, vous savez, ét'honnant! " que de
gens renseignés. Il avait vécu parmi les indigènes et
les avait dominés, dans des régions où beaucoup de ses
prédécesseurs avaient été tués, sans doute après des
débuts assez illégaux. C'était tout ce qu'on pouvait
savoir. Et son efficacité tenait vraisemblablement, pensait Claude, à la persévérance dans l'énergie, à l'endu-
rance, à des qualités militaires unies à un esprit assez
large pour s'efforcer de comprendre des êtres très différents de lui, plutôt qu'à telles aventures. Jamais Claude
n'avait vu à ce point le besoin de romanesque de ces
fonctionnaires qui voulaient en nourrir leurs rêves,
besoin contrarié aussitôt par la crainte d'être dupes,
d'admettre l'existence d'un monde différent du leur.
Ces gens acceptaient tout de la légende de Mayrena
— qui était mort — et peut-être de Perken lorsqu'il
était loin; ici, ils se défendaient contre son silence,
méfiants, avides de se venger par quelque mépris d'une
volonté de solitude parfois nettement exprimée. Claude
s'était d'abord demandé pourquoi Perken avait accepté
sa présence : il était le seul qui l'admirât, et le comprît
peut-être, sans tenter de le juger. Il tentait de le comprendre mieux, mais ne pouvait que malaisément unir
les anecdotes romanesques (les tubes à messages

envoyés, pendant l'organisation du pays shan, au-delà
du cercle des sauvages révoltés, dans les cadavres qui
descendaient le fleuve — et jusqu'à des histoires de
prestidigitation) à ce qu'il sentait d'essentiel en cet
homme indifférent au plaisir de jouer sa biographie,
détaché du besoin d'admirer ses actes, et mû par une
volonté profonde dont Claude sentait souvent l'affleu-
rement, sans parvenir à la saisir. Le capitaine, lui aussi,
la sentait. " Tout aventurier est né d'un mythomane ",
disait-il à Claude; mais l'action précise de Perken, son
sens de l'organisation, son refus de parler de sa vie le
surprenaient à l'extrême :

" Il me fait penser aux grands fonctionnaires de
l'*Intelligence Service* que l'Angleterre emploie et désavoue
à la fois; mais il ne finira pas chef d'un bureau de contre-
espionnage, à Londres : il a quelque chose en plus, il est
Allemand...

— Allemand ou Danois?

— Danois à cause de la rétrocession du Schleswig
imposée par le traité de Versailles. Ça l'arrange : les
cadres de l'armée et de la police siamoises sont danois.
Oh! heimatlos, bien entendu!... Non, je ne crois pas
qu'il finisse dans un bureau : voyez, il revient en Asie...

— Au service du gouvernement siamois?

— Oui et non, comme toujours... Il va rechercher
un type resté en pays insoumis — resté, disparu,
quelque chose comme ça... — et une chose plus surprenante, c'est que maintenant, il s'intéresse à l'argent...
C'est nouveau... "

Un lien singulier s'était formé. Claude y pensait, dès
que l'affaiblissement provisoire de l'obsession le rendait au désœuvrement : Perken était de la famille des
seuls hommes auxquels son grand-père — qui l'avait
élevé — se sentît lié. Lointaine parenté : même hostilité
à l'égard des valeurs établies, même goût des actions
des hommes lié à la conscience de leur vanité; mêmes

refus, surtout. Les images que Claude entrevoyait de son avenir étaient partagées entre ses souvenirs et cette présence qui le requéraient comme une double menace, comme les deux affirmations parallèles d'une prophétie. Dans les conversations qu'il avait avec Perken il ne pouvait opposer à l'expérience, aux souvenirs de son interlocuteur qu'une lecture assez étendue, et il en était venu à parler de son grand-père comme Perken parlait de sa vie, pour ne pas opposer sans cesse des livres à des actes, pour bénéficier de l'intérêt singulier que Perken portait à cette existence; d'ailleurs, que Perken parlât de lui-même et il faisait surgir en Claude l'impériale blanche du grand-père, son dégoût du monde, les amers récits de sa jeunesse. Sa jeunesse, cet homme fier à la fois de ses ancêtres corsaires perdus au fond de légendes et de son grand-père déchargeur de navires, fier de frapper du pied le pont de ses bateaux comme un paysan de flatter ses bêtes, l'avait voué à édifier cette Maison Vannec par quoi il entendait durer. A trente-cinq ans, il s'était marié : douze jours après les noces, sa femme retournait chez ses parents. Son père ne voulut pas la voir; sa mère avait conclu, avec un désespoir usé : "Va, ma petite fille, tout ça... du moment qu'on a des enfants... " Et elle avait retrouvé l'hôtel ancien qu'il avait acheté pour elle : porte cochère surmontée d'attributs maritimes, cour immense où séchaient des voiles. Elle avait décroché les portraits de ses parents, les avait remplacés par un petit crucifix et jetés sous le lit. Son mari n'avait rien dit; pendant plusieurs jours, aucun d'eux ne parla. Puis la vie commune recommença. Héritiers d'une tradition de travail, haïssant tout romanesque, la rancœur qu'avait fait naître en eux ce premier malentendu ne se traduisit pas par des conflits : ils firent dans leur vie la part d'une hostilité tacite, comme, infirmes, ils eussent fait la part de leur infirmité. Chacun, malhabile

à exprimer ses sentiments, pour prouver sa supério-
rité s'attacha au travail; l'un et l'autre trouvèrent là un
refuge et une passion sournoise. La présence des petits
enfants mêlait à leur vieille hostilité un lien qui la
rendait plus douloureuse. Chaque bilan recelait de
nouvelles forces de haine : lorsque marins, mousses,
ouvriers couchés ou partis, la nuit venue sur l'hôtel et
sur les voiles brunes de la cour, quelque heure tardive
sonnait, il n'était pas rare que l'un, penché à sa fenêtre,
aperçût de la lumière à la fenêtre de l'autre, et, bien
qu'exténué, s'attachât à quelque nouveau travail. Elle
était phtisique, avec indifférence; et chaque année il
travaillait davantage, afin que sa lampe ne fût point
éteinte avant celle de sa femme, qui restait allumée fort
avant dans la nuit.

Un jour, il s'aperçut que le crucifix avait rejoint,
sous le lit, les portraits des parents.

Déconcerté de souffrir, non seulement par la mort
de ceux qu'il aimait, mais encore par celle d'une femme
qu'il n'aimait pas, il supporta sa mort, lorsqu'elle
arriva, avec une résignation écœurée. Il avait de
l'estime pour sa femme; il savait qu'elle avait été
malheureuse. Ainsi allait la vie. Ce fut son dégoût,
plus encore que cette mort, qui amena le déclin de la
maison. Lorsque les compagnies d'assurances, après
le naufrage de sa flotte presque entière, au large de
Terre-Neuve, refusèrent de payer; lorsqu'il eut passé
tout un jour à distribuer aux veuves les piles de billets
aussi nombreuses que ses marins morts, avec le plus
profond dégoût de l'argent qu'il eût connu, il se sépara
de ses entreprises; et les procès commencèrent.

Procès sans nombre et sans fin. Saisi, à l'égard des
vertus respectées, d'une hostilité qui depuis longtemps
couvait, le vieillard accueillit dans la cour aux voiles
des cirques auxquels la municipalité refusait l'hospitalité, et la vieille bonne ouvrit à deux battants, pour

l'éléphant, la porte dont nulle voiture n'avait franchi
le seuil depuis des années. Seul dans la vaste salle à
manger, assis dans un fauteuil à torsades, buvant à
petits coups un verre de son meilleur vin, il appelait
ses souvenirs, un à un, en tournant les pages de ses
livres de comptes...

Avec leur vingtième année, les enfants avaient
quitté la maison de plus en plus silencieuse; silencieuse
jusqu'à ce que la guerre y amenât Claude. Son père
tué, sa mère, qui avait quitté son mari depuis longtemps, vint voir l'enfant. De nouveau, elle vivait seule.
Le vieux Vannec l'avait accueillie; il avait si bien pris
l'habitude de mépriser les actions des hommes, qu'il
les enveloppait toutes dans une même indulgence
haineuse. Le soir, il l'avait retenue, indigné à l'idée
que, lui vivant, sa belle-fille pût habiter un hôtel, dans
sa ville : il savait d'expérience que l'hospitalité n'empêche pas la rancune. Ils avaient causé ou plutôt, elle
avait parlé : une femme abandonnée, obsédée par son
âge jusqu'à la torture, certaine de sa déchéance, et qui
considérait la vie avec une indifférence désespérée.
Quelqu'un avec qui il pouvait vivre... Elle était ruinée,
sinon pauvre. Il ne l'aimait guère, mais il subissait
l'influence d'un étrange esprit de corps : elle était,
comme lui, séparée de la communauté des hommes qui
demande tant d'acceptations stupides ou sournoises;
la cousine, trop vieille maintenant, dirigeait mal la
maison... Il lui avait conseillé de rester, et elle avait
accepté.

Fardée pour la solitude, les portraits des anciens
propriétaires et les attributs maritimes, fardée surtout
pour les glaces contre lesquelles elle ne savait se défendre que par les rideaux croisés et les artifices du
demi-jour, elle était morte d'un retour d'âge prématuré, comme si son angoisse eût été une prescience. Il
avait accepté cette mort avec une approbation sinistre :

“On ne change pas de religion à mon âge... ” Que la
destinée achevât ainsi le tissu de stupidité dont elle
avait fait sa vie : c’était bien. Dès lors, il ne quitta plus
guère le mutisme hostile dans lequel il se confinait que
pour entretenir Claude. Poussé par un subtil égoïsme
de vieillard, il avait presque toujours laissé à la vieille
cousine, à la mère ou aux professeurs le soin de punir
l’enfant, si bien qu’à Dunkerque (et même plus tard,
lorsque, étudiant à Paris, l’adolescent connut ses oncles)
sa pensée avait toujours semblé à Claude d’une singulière liberté. Dans ce vieil homme simple, grandi par
les morts qui l’entouraient et par la lumière tragique
dont la mer colore les vies qui lui ont été vouées, il y
avait un Ecclésiaste inculte, mais qui ne craignait pas
le Seigneur; certaines des phrases par lesquelles il traduisait sa lourde expérience résonnaient en Claude
comme le grondement assourdi de la petite porte de
l’hôtel, solitaire maintenant dans la rue déserte et qui
le soir le séparait du monde. Quand, après le dîner, le
grand-père parlait, la pointe de sa barbe touchant sa
poitrine, ses paroles méditées troublaient Claude, qui
s’en défendait, comme des paroles venues, à travers le
temps ou la mer, de contrées habitées par des hommes
qui eussent connu, mieux que tous les autres, le poids,
l’amertume et la force obscure de la vie. “Une mé-
moire, mon petit, c’est un sacré caveau de famille!
Vivre avec plus de morts que de vivants... Les nôtres,
je les connais bien : en tous — en toi aussi — il y a la
même nature. Et quand ils n’en veulent pas... tu sais
qu’il y a des crabes qui nourrissent maternellement,
sans s’en douter, les parasites qui les rongent?... Être
un Vannec, ça veut dire quelque chose, en bien comme
en mal... ”

Quand Claude était parti poursuivre ses études à
Paris, le vieillard avait pris l’habitude d’aller chaque
jour au mur des marins perdus en mer; il enviait leur

mort, et accordait avec joie sa vieillesse et ce néant.
Un jour qu'il avait voulu montrer à un jeune ouvrier
trop lent comment, de son temps, on fendait le bois
des proues, pris d'un étourdissement à l'instant qu'il
manœuvrait la hache à deux tranchants, il s'était fendu
le crâne. Et Claude, en face de Perken, retrouvait le
goût, l'hostilité, le lien passionné qui l'avaient attaché
à ce vieillard de soixante-seize ans décidé à ne pas
oublier sa maîtrise passée et qui était mort ainsi, dans
sa maison abandonnée, d'une mort de vieux Viking.
Comment finirait-il, celui-là? Il lui avait répondu un
jour, devant l'Océan : " Je pense que votre grand-père
était moins significatif que vous ne le croyez, mais que
vous l'êtes, vous, bien davantage... " Comme si tous
deux se fussent exprimés par paraboles, ils s'approchaient de plus en plus l'un de l'autre, cachés sous les
souvenirs.

*

Brouillard rayé, la pluie enveloppait le bateau. Le
long triangle du phare de Colombo ramait dans la nuit,
au-dessus d'une ligne de points : les docks. Les passagers réunis sur le pont regardaient au-delà du bastingage ruisselant le tremblotement de toutes ces lumières;
à côté de Claude, un gros homme aidait l'Arménien
— courtier en pierres qui venait acheter à Ceylan les
saphirs qu'il vendrait à Chang-Haï, — à disposer ses
valises. Perken, à quelque distance, causait avec le
capitaine; ainsi, de trois quarts, le caractère de son
visage devenait moins masculin, lorsqu'il souriait surtout.

— Vous regardez sa bobine, aux Chang, dit le gros
homme. Comme ça, il a l'air d'un brave type...

— Comment l'appelez-vous?

— C'est les Siamois qui l'appellent comme ça.

L'éléphant, que ça veut dire, pas l'éléphant domestique, l'autre. Physiquement, ça lui va plutôt mal, mais moralement, ça lui va bien...

Le coup de fouet du phare les éclaira tous. La tache du foyer, une seconde, devint éblouissante puis replongea dans la nuit, ne laissant dans les lumières du paquebot où les gouttes étincelaient en tourbillons qu'un voilier arabe de haut bord, sculpté de la proue à la poupe, immobile et désert, isolé au milieu des masses d'ombre. Perken venait de faire deux pas en avant; d'instinct, le gros homme baissa la voix. Claude sourit.

"Oh! il ne me fait pas peur, bien sûr! J'ai vingt-sept ans de colonie. Pensez! Mais il... il m'intimide, si je peux dire. Pas vous?

— C'est très bien, de faire ça au mépris, répondit l'Arménien, — pas très haut — mais ça ne réussit pas toujours...

— Vous savez très bien le français...

Il se vengeait d'une humiliation, sans doute; avait-il attendu, pour le faire, d'être à l'instant de quitter le bateau? Sa voix n'était pas ironique, mais pleine de rancune.

Perken s'écartait de nouveau.

— Je suis de Constantinople... et de Montmartre par mes vacances. Non, Monsieur, ça ne réussit pas toujours...

Et se tournant vers Claude :

"Vous en aurez vite assez, comme les autres... Pour ce qu'il a fait, lui!... Mais s'il avait eu des connaissances techniques, je dis : techniques, Monsieur, avec sa position, quand il tenait le pays pour le Siam, il aurait pu faire une fortune qui... enfin, je ne sais pas, moi, une fortune... "

Des deux bras agités il figurait un cercle, cachant un instant les lumières de la terre, plus nombreuses et

plus proches maintenant, mais moins précises, comme
si elles fussent devenues humides, spongieuses elles
aussi.

"Songez que, dans les marchés siamois, à douze,
quinze jours des villages insoumis, vous trouvez
encore, si vous êtes malin, si vous savez faire le commerce avec eux, des rubis à des prix...! Vous ne pouvez
pas vous rendre compte, vous, parce que vous n'êtes
pas de la partie... Ça vaut tout de même mieux que
d'aller échanger des bijoux travaillés, mais en Fix,
contre des bijoux mastocs, mais en or!... Même à vingt-
trois ans! (Cette affaire n'était même pas de lui, d'ailleurs : un blanc l'a faite avec le roi de Siam il y a une
cinquantaine d'années) mais il voulait à toute force
aller chez eux; étonnant qu'ils ne l'aient pas zigouillé
dès ce moment-là! Il a toujours voulu faire le chef.
Comme je vous le disais, il y a des jours où ça ne
réussit pas; ils le lui ont bien fait voir en Europe.
Deux cent mille francs! Trouver deux cent mille
francs comme ça, pas si facile que de jouer les sei-
gneurs! (Pourtant, il n'y a pas à dire, il en impose aux
indigènes...)

— Il a besoin d'argent?

— Pas pour vivre, bien sûr, surtout là-haut... "

Les chaloupes accostaient, chargées d'Indiens qui
tordaient en montant leurs turbans trempés, et de
fruits. L'Arménien suivit l'envoyé d'un hôtel.

"Il a besoin d'argent... " se répétait Claude.

— Pour ça, le macaque a raison, reprit le gros
homme; c'est pas la vie qui peut coûter cher, là-haut!...

— Vous êtes forestier?

— Chef de poste. "

L'obsession envahit Claude une fois de plus, comme
une crise de fièvre : il pouvait interroger cet homme
sur le terrible jeu auquel il allait lier sa vie.

— Avez-vous voyagé avec des charrettes?

— Bien sûr, que j'ai travaillé avec des charrettes, vous pensez!

— Combien peuvent-elles réellement porter?

— C'est petit, hein! faut des objets lourds...

— Des pierres, par exemple...

— Ben, le poids réglementaire, la charge, quoi, c'est soixante kilos.

Si ce poids n'était pas imposé seulement par une de ces lois coloniales qui n'existent qu'aux yeux des administrateurs, il fallait renoncer aux charrettes. L'abandon en forêt inconnue le suivait donc jusqu'ici.

Faire porter à dos d'homme, pendant un mois, des blocs de deux cents kilos? Impossible. Les éléphants?

"Les éléphants, jeune homme, j'vais vous dire : c'est une question d'astuce. Les gens croient que l'éléphant est délicat. C'est pas vrai : l'éléphant n'est pas délicat. La difficulté, c'est que la bête veut ni brancards, ni sangles, ça la chatouille. Alors, qu'est-ce que vous faites? Hein?

— Moi, je vous écoute.

Débonnaire, le gros homme posa la main sur le bras de Claude.

— Vous prenez un pneu d'auto, un pneu Michelin quelconque. Et puis, vous le passez au cou de l'éléphant, comme un rond de serviette. Bon. Et puis, vous attachez vos machins au pneu... Pas plus difficile que ça. C'est doux le caoutchouc, vous comprenez...

— Peut-on avoir des éléphants pour la région Extrême-Nord d'Angkor?

— Extrême-Nord?

— Oui.

Un instant de silence.

— Jusqu'au-delà des Dang Rek?

— Jusqu'à la Sé-Moun.

— Un blanc qui tente ça sans camarade est foutu.

— Peut-on avoir des éléphants?

— Enfin, ça vous regarde... Des éléphants, ça
m'étonnerait, primo. Les indigènes, ça ne leur dira rien
d'aller se promener par là; vous avez beaucoup de
chances de tomber chez les Moïs insoumis, ce qui n'est
pas drôle; et puis les indigènes des derniers villages
sont impaludés jusqu'au gâtisme, les paupières bleues
comme si on cognait dessus depuis huit jours, capables
de rien. Ensuite, si vous vous faites piquer, ce qui ne
manque jamais, vous pouvez dire que ça n'est pas par
de bons moustiques : ah! les vaches!... Et puis... enfin,
pour aujourd'hui on peut s'en tenir là... Venez-vous
faire un tour? Voilà la chaloupe...

— Non. "

Il suivait sa pensée :

" S'il a besoin d'argent, ce n'est pas pour vivre, surtout là-haut... " Sans aucun doute. Pour quoi? Bien
plus que la menace de la forêt, cette légende malveil-
lante, non sans grandeur, désagrégeait comme un fer-
ment, comme cette nuit même, ce qui était pour Claude
le réel. Chaque fois que la sirène de l'un des bateaux
illuminés appelait les canots, longuement portée par
l'air saturé de la rade, la ville se perdait davantage,
achevait de se diluer dans la nuit de l'Inde. Ses dernières pensées d'Occident se noyaient dans cette atmosphère fantastique et provisoire; d'un grand mouvement adouci, le vent qui apportait la fraîcheur à ses
paupières donnait à Perken un relief qui n'était plus
celui de la singularité, mais de l'adaptation. Comme
tous ceux qui s'opposent au monde, Claude cherchait
d'instinct ses semblables, et les voulait grands; en
l'occurrence, il ne craignait pas d'être dupe de lui-
même. Si cet homme désirait de l'argent, ce n'était pas
pour collectionner des tulipes. Sous les histoires qu'il
avait contées, l'argent glissait pourtant comme, en cet
instant, le crissement assourdi des cigales sous le

silence... Le capitaine, lui aussi, avait dit : " Maintenant, il s'intéresse à l'argent... "

Et le chef de poste :

" Un blanc qui tente de passer seul par là est foutu... "

Un blanc qui tente de passer seul par là est foutu...

. A cette heure, Perken était sans doute au bar.

II

CLAUDE n'eut pas à le chercher; assis devant l'une des tables de rotin que les serveurs avaient disposées sur le pont, il tenait d'une main une coupe posée sur la nappe, mais, le dos tourné, l'autre main appuyée au bastingage, il semblait regarder les lumières qui au fond de la rade tremblaient toujours dans le vent.

Claude se sentit maladroit.

— Ma dernière escale! dit Perken en montrant les lumières de sa main libre.

C'était la gauche : éclairée d'un seul côté par le paquebot, elle apparut un instant sur le ciel maintenant lavé et plein d'étoiles, avec un puissant relief, chacune de ses entailles changée en courbe noire. Il se tourna tout à fait vers Claude, que surprit l'expression d'abattement de son visage; la main disparut.

" Nous partons dans une heure... Au fait, que veut dire arriver, pour vous?

— Agir au lieu de rêver. Et pour vous? "

Perken fit un geste comme pour écarter la question. Il répondit néanmoins :

— Perdre du temps... "

Claude l'interrogeait du regard; il ferma les yeux. " Ça s'annonce mal ", pensa le jeune homme. "Essayons autrement " :

— Vous remontez chez les insoumis?

— Ce n'est pas ce que j'appelle perdre mon temps :
au contraire.

Claude cherchait toujours. Il répondit, presque au
hasard :

— Au contraire?

— Là-haut, j'ai trouvé presque tout.

— Sauf de l'argent, n'est-ce pas?

Perken le regarda avec attention, sans répondre.

" Et s'il y en avait, *là-haut* "?

— Allez le chercher!

— Peut-être... "

Claude hésita; des chants graves, dans le lointain,
montaient d'un temple, coupés par le klaxon de
quelque auto perdue.

" Il y a dans la forêt — du Laos à la mer — pas mal
de temples inconnus des Européens...

— Ah! les dieux en or? Je vous en prie!...

— Bas-reliefs et statues — pas en or du tout — ont
une valeur considérable...

Il hésita encore.

" Vous souhaitez trouver deux cent mille francs,
n'est-ce pas?

— C'est de l'Arménien que vous tenez cela? Je n'en
fais pas mystère, d'ailleurs. Il y a aussi les tombeaux
des Pharaons, quoi encore?

— Croyez-vous, monsieur Perken, que j'aille chercher les tombeaux des Pharaons au milieu des chats?

Perken parut réfléchir. Claude le regardait, découvrant que l'état civil, que les faits, sont aussi impuis-
sants contre la puissance de certains hommes que
contre le charme d'une femme. Les histoires de bijoux,
la biographie de cet homme, en ce moment, n'existaient
pas. Il était si réel, là, debout, que les actes de sa vie
passée se séparaient de lui comme des rêves. Des faits,
Claude ne retiendrait que ceux qui s'accordaient à ses
sentiments... Allait-il enfin répondre?

— Marchons, voulez-vous?

Ils firent quelques pas en silence. Perken regardait
toujours les lumières jaunes du port, immobiles sous
les étoiles plus claires. L'air, malgré la nuit, collait à la
peau de Claude comme une main molle dès qu'il se
taisait. Il tira une cigarette d'un paquet, mais irrité
aussitôt par la nonchalance de son geste, il la jeta à
la mer.

— J'ai rencontré des temples, dit enfin Perken...
Tous ne sont pas ornés, d'abord.

— Non. Mais beaucoup.

— Cassirer, à Berlin, m'a payé cinq mille marks-or
les deux bouddhas que m'avait donnés Damrong...
Mais chercher des monuments! Autant chercher des
trésors, comme les indigènes...

— Si vous étiez certain que cinquante trésors ont
été enfouis le long d'un fleuve, entre deux lieux précis,
à six cents mètres l'un de l'autre, par exemple — les
chercheriez-vous?

— Le fleuve manque.

— Non. Voulez-vous aller chercher les trésors?

— Pour vous?

— Avec moi, à égalité.

— Le fleuve?

Le demi-sourire de Perken irritait Claude à l'extrême.

— Venez voir.

Dans le couloir qui les conduisait à la cabine de
Claude, Perken posa sa main sur l'épaule du jeune
homme.

— Vous m'avez insinué hier que vous étiez en train
de jouer votre dernier enjeu. C'est à ce dont vous venez
de parler que vous faisiez allusion?

— Oui.

Claude croyait trouver la carte étendue sur sa couchette, mais le garçon l'avait pliée. Il l'ouvrit.

— Voici les lacs. Tous ces petits points rouges accu-

mulés autour : les temples. Ces taches éparses : d'autres
temples.

— Ces taches bleues?

— Les villes mortes du Cambodge. Explorées déjà.
A mon avis il y en a d'autres, mais passons. Je reprends :
vous voyez que les points rouges des temples sont
nombreux à l'origine de ma ligne noire, et suivent sa
direction.

— C'est?

— La Voie Royale, la route qui reliait Angkor et
les lacs au bassin de la Ménam. Aussi importante jadis
que la route du Rhône au Rhin au moyen âge.

— Les temples suivent cette ligne jusqu'à...

— Le patelin n'a pas d'importance : jusqu'à la
limite des régions *réellement* explorées. Je dis qu'il
suffit de suivre, à la boussole, le trajet de l'ancienne
Voie pour retrouver des temples : si l'Europe était
recouverte par la brousse, il serait absurde de penser
qu'en allant de Marseille à Cologne par le Rhône et
le Rhin on ne trouverait pas de ruines d'églises... Et
n'oubliez pas que, pour la région explorée, ce que
j'avance est vérifiable — et vérifié. — Les récits des
voyageurs anciens le disent...

Il s'arrêta pour répondre au regard de Perken :

— (Je ne tombe pas du ciel, mais des Langues
Orientales : le sanscrit n'est pas toujours inutile.) Les
administrateurs qui se sont aventurés par là, à quelques
dizaines de kilomètres de la région topographiée, le
confirment.

— Vous croyez être le premier à interpréter ainsi
cette carte?

— Le service géographique ne s'occupe guère
d'archéologie.

— L'Institut français?

Claude ouvrit l'*Inventaire* à une page marquée;
diverses phrases étaient soulignées : *Il reste à relever*

les monuments qui se trouvaient en dehors de nos itinéraires...
Nous ne prétendons certes pas que nos listes soient définitive-
ment closes...

" C'est le compte rendu de la dernière grande mission archéologique.

Perken regardait la date.

— 1908 ?

— Rien d'important entre 1908 et la guerre. Depuis,
des explorations de détail. Et tout cela est du
premier travail. Des recoupements me permettent
d'être assuré que la longueur que l'on donne ici aux
unités de mesure des voyageurs anciens doit être
rectifiée : il faudra contrôler, le long de la Voie,
plusieurs affirmations que l'on traite de légendes, et
qui sont pleines de promesses... Et nous ne parlons
que du Cambodge : vous savez qu'au Siam, on n'a
rien fait. "

Une réponse, au lieu de ce silence !

" A quoi songez-vous ?

— La boussole peut donner une indication générale; vous comptez ensuite sur les indications des indigènes ?

— De ceux dont les villages sont peu éloignés de
l'ancienne Voie, oui.

— Peut-être... Au Siam surtout, je sais assez bien
le siamois pour qu'ils parlent. J'ai moi-même rencontré
de ces temples... Ce sont d'anciens temples brahma-
niques, n'est-ce pas ?

— Oui.

— Donc, aucun fanatisme, nous serions toujours
parmi les bouddhistes... Le projet n'est peut-être pas
si fantaisiste... Vous connaissez bien cet art ?

— Je n'étudie plus que lui depuis un bon moment.

— Depuis... Quel âge avez-vous, au fait ?

— Vingt-six ans.

— Ah...

— J'ai l'air plus jeune, oui, je sais.

— Ce n'était pas de l'étonnement, c'était... de l'envie...

Le ton n'était pas ironique.

" L'administration française n'aime guère...

— Je suis chargé de mission. "

L'étonnement empêcha Perken de répondre aussitôt.

— Je comprends de mieux en mieux...

— Oh! mission gratuite! Nos ministères n'en sont pas avares.

Claude revoyait le chef de bureau courtois et pompeux, les couloirs déserts où des rayons de soleil s'écrasaient sur des cartes ingénues où des bourgades — Vien-Tiane, Tombouctou, Djibouti — régnaient au centre de grands cercles roses, semblables à des capitales; l'ameublement de comédie, grenat et or...

— Rapports avec l'Institut d'Hanoï et bons de réquisition, je vois, reprit Perken. Peu de chose, mais tout de même...

Il regardait de nouveau la carte.

— Transport : charrettes.

— Ah! dites-moi : que faut-il penser des soixante kilos réglementaires?

— Rien. Aucune importance. De cinquante à trois cents kilos suivant... suivant tout ce que vous rencontrerez. Donc, charrettes. Si, en un mois de recherches, on n'avait rien trouvé...

— Invraisemblable. Vous savez bien que les Dang-Rek, en fait, sont inexplorés...

— Moins que vous ne le croyez.

— ... et que les indigènes connaissent les temples. Comment, moins que je ne le crois?

— Nous y reviendrons...

Il se tut un instant.

" L'administration française, je la connais. Vous n'êtes pas des siens. Elle créera des obstacles, mais ce danger n'est pas grand... L'autre l'est davantage, même à deux.

— L'autre?

— Celui d'y rester.

— Les Moïs?

— Eux, la forêt, la fièvre des bois.

— C'est ce que je pensais.

— N'en parlons donc plus : moi, j'ai l'habitude... Parlons d'argent.

— C'est bien simple : un petit bas-relief, une statue quelconque, valent une trentaine de mille francs.

— Francs-or?

— Vous êtes trop gourmand.

— Tant pis. Il m'en faut dix au moins. Dix, pour vous : vingt.

— Vingt pierres.

— Évidemment, ce n'est pas le diable...

— Et d'ailleurs, un seul bas-relief, s'il est beau, une danseuse par exemple, vaut au moins deux cent mille francs.

— Il est composé de combien de pierres?

— Trois, quatre...

— Et vous êtes certain de les vendre?

— Certain. Je connais les plus grands spécialistes de Londres et de Paris. Et il est facile d'organiser une vente publique.

— Facile, mais long?

— Rien ne vous empêche de vendre directement; j'entends, sans vente publique. Ces objets sont de toute rareté : la grande hausse des objets asiatiques date de la fin de la guerre, et on n'a rien découvert depuis.

— Autre chose : supposons que nous trouvions les temples...

(" Nous " murmura Claude.)

" ... Comment comptez-vous dégager les pierres sculptées?

— Ce sera le plus difficile. J'ai pensé...

— De gros blocs, si je me souviens bien?

— Attention : les temples khmers sont construits sans ciment ni fondations. Des châteaux de dominos.

— Chaque domino, voyons : cinquante centimètres au carré de section, un mètre de long... Sept cent cinquante kilos à peu près. Légers objets!...

— J'ai pensé aux scies de long, pour n'emporter que la face sculptée, sur peu d'épaisseur : impossible. Les scies à métaux, — plus rapides, — j'en ai. Il faut surtout compter sur le temps qui a fichu presque tout par terre, sur le figuier des ruines et les incendiaires siamois qui ont accompli assez bien le même travail.

— J'ai rencontré plus d'éboulis que de temples... Et les chercheurs de trésors, eux aussi, ont passé par là... Jusqu'ici, je ne pensais guère aux temples qu'en fonction d'eux...

Perken avait abandonné la carte; il regardait l'ampoule; Claude se demandait s'il réfléchissait, car ce regard perdu était presque d'un rêveur. " Que connais-je de cet homme? " pensait-il une fois de plus, frappé par ce visage d'absent en relief dur sur le lavabo. Les grands coups lents des machines battaient le silence, et chacun pesait sur cet adversaire pour lui arracher une acceptation.

— Alors?

Perken, repoussant la carte, s'assit sur la couchette.

— Laissons les objections. Ce projet se défend, toutes réflexions faites — il est vrai que je ne réfléchissais pas, je rêvais au moment où j'aurais l'argent... — Je ne prétends pas tenter les choses qui doivent réussir d'elles-mêmes; celles-là, je les manque. Pourtant, comprenez bien que si j'accepte, c'est avant tout parce que je dois aller chez les Moïs.

— Où?

— Plus au Nord, mais l'un n'empêche pas l'autre.

Je ne saurai exactement où je vais qu'à Bangkok :
je vais chercher — rechercher — un homme pour qui
j'avais une grande sympathie et une grande méfiance...
On me remettra à Bangkok l'enquête des miliciens
indigènes sur sa disparition, comme ils disent. Je
crois...

— Donc, vous acceptez?

— Oui... qu'il est parti dans la région dont je me
suis occupé. S'il est mort, je saurai à quoi m'en tenir.
Sinon...

— Sinon?

— Je ne tiens pas à sa présence... Il gâchera tout...

Le passage de l'un des sujets à l'autre était trop
rapide : à peine Claude pouvait-il écouter. Sitôt après
l'acceptation, cet homme n'existait pas. Il suivit le
regard de Perken : c'était son image, à lui, Claude,
que ce regard fixait, mais dans la glace. Son propre
front, son menton avançant, il les vit, une seconde,
avec les yeux d'un autre. Et c'était à lui que cet autre
pensait :

— Ne répondez que s'il vous plaît de répondre...

Le regard devint plus précis.

" ... Pourquoi allez-vous tenter cela?

— Je pourrais vous répondre : parce que je n'ai
presque plus d'argent, ce qui est vrai.

— Il y a d'autres manières d'en gagner. Et pourquoi en voulez-vous? De toute évidence, ce n'est pas
pour en jouir.

— (Et vous? pensa Claude.) Être pauvre empêche
de choisir ses ennemis, répondit-il. Je me méfie de
la petite monnaie de la révolte...

Perken le regardait toujours, de ce regard à la fois
appuyé et perdu, plein de souvenirs, qui faisait songer
Claude à celui des prêtres intelligents; l'expression
en devint plus dure :

— On ne fait jamais rien de sa vie.

— Mais elle fait quelque chose de nous.

— Pas toujours... Qu'attendez-vous de la vôtre?

Claude ne répondit pas tout d'abord. Le passé de cet homme s'était si bien transformé en expérience, en pensée à peine suggérée, en regard, que sa biographie en perdait toute importance. Il ne restait entre eux — pour les attacher — que ce que les êtres ont de plus profond.

— Je pense que je sais surtout ce que je n'en attends pas...

— Chaque fois que vous avez dû opter, il se...

— Ce n'est pas moi qui opte : c'est ce qui résiste.

— Mais à quoi?

Il s'était assez souvent posé lui-même cette question pour qu'il lui pût répondre aussitôt :

— A la conscience de la mort.

— La vraie mort, c'est la déchéance.

Perken maintenant regardait dans la glace son propre visage.

"Vieillir, c'est tellement plus grave! — Accepter son destin, sa fonction, la niche à chien élevée sur sa vie unique... On ne sait pas ce qu'est la mort quand on est jeune...

Et tout à coup, Claude découvrit ce qui le liait à cet homme qui l'avait accepté sans qu'il comprît bien pourquoi : l'obsession de la mort.

Perken prenait la carte.

" — Je vous la rapporterai demain. "

Il serra la main de Claude et sortit.

L'atmosphère de la cabine retomba sur Claude comme la porte d'un cachot. La question de Perken demeurait avec lui, tel un autre prisonnier. Et son objection. Non, il n'y avait pas tant de manières de gagner sa liberté! Il avait réfléchi naguère, sans avoir la naïveté d'en être surpris, aux conditions d'une civilisation qui fait à l'esprit une part telle que ceux qui s'en nourrissent, gavés sans doute, sont doucement conduits à manger à prix réduits. Alors? Aucune envie de vendre des autos, des valeurs ou des discours, comme ceux de ses camarades dont les cheveux collés signifiaient la distinction; ni de construire des ponts, comme ceux dont les cheveux mal coupés signifiaient la science. Pourquoi travaillaient-ils, eux? Pour gagner en considération. Il haïssait cette considération qu'ils recherchaient. La soumission à l'ordre de l'homme sans enfants et sans dieu est la plus profonde des soumissions à la mort; donc, chercher ses armes où ne les cherchent pas les autres : ce que doit exiger d'abord de lui-même celui qui se sait séparé, c'est le courage. Que faire du cadavre des idées qui dominaient la conduite des hommes lorsqu'ils croyaient leur existence *utile* à quelque salut, que faire des paroles de ceux qui veulent soumettre leur vie à un modèle, ces autres cadavres? L'absence de finalité donnée à la vie était devenue une condition de l'action. A d'autres de confondre l'abandon au hasard et cette harcelante préméditation de l'inconnu. Arracher ses propres images au monde stagnant qui les possède... "Ce qu'ils appellent l'aventure, pensait-il, n'est pas une fuite, c'est une chasse : l'ordre du monde ne se détruit pas au bénéfice du hasard, mais de la volonté d'en profiter. " Ceux pour qui l'aventure n'est que la nourriture des rêves, il les connaissait; (joue : tu pourras rêver); l'élément suscitateur de tous les moyens de posséder l'espoir, il le connaissait aussi. Pauvretés. L'austère domination dont il venait de parler à Perken, celle de la mort, se répercutait en lui avec le battement du sang à ses tempes, aussi impérieuse que le besoin sexuel. Être tué, disparaître, peu lui importait : il ne tenait guère à lui-même, et il aurait ainsi trouvé son combat, à défaut de victoire. Mais accepter vivant la vanité de son existence,

comme un cancer, vivre avec cette tiédeur de mort
dans la main... (D'où montait, sinon d'elle, cette
exigence de choses éternelles, si lourdement impré-
gnée de son odeur de chair?) Qu'était ce besoin d'inconnu, cette destruction provisoire des rapports de
prisonnier à maître, que ceux qui ne la connaissent
pas nomment aventure, sinon sa défense contre elle?
Défense d'aveugle, qui voulait la conquérir pour
en faire un enjeu...

Posséder plus que lui-même, échapper à la vie de
poussière des hommes qu'il voyait chaque jour...

*

A SINGAPOUR, Perken avait quitté le bateau pour
monter à Bangkok. L'accord était conclu. Claude le
rejoindrait à Pnom-Penh, après avoir fait viser à
Saïgon sa lettre de mission et rendu visite à l'Institut
français. Ses premiers moyens d'action allaient dé-
pendre de son accord avec le directeur de cet Institut,
hostile aux initiatives comme la sienne.

Un matin — le temps était de nouveau mauvais —
il vit, à travers le hublot de sa cabine, des passagers,
l'index tendu vers un spectacle. Il se hâta de monter
sur le pont. Par une déchirure des nuages accumulés,
le soleil projetait une lumière blême qui éclairait,
au ras de l'eau décomposée, la côte de Sumatra. Il
regarda à l'aide de la jumelle les monstrueuses fron-
daisons qui dévalaient du sommet des monts jusqu'à
la grève, hérissées çà et là de palmes, et noires dans
l'étendue sans couleur. De loin en loin, au-dessus
des crêtes, brillaient des feux pâles, d'où montaient
lourdement des fumées; plus bas des fougères arbo-
rescentes se détachaient en clair sur des masses d'ombre.
Il ne pouvait délivrer son regard des taches dans lesquelles se perdaient les plantes. Se frayer un chemin

à travers une semblable végétation? D'autres l'avaient fait, il pourrait donc le faire. A cette affirmation inquiète, le ciel bas et l'inextricable tissu des feuilles criblées d'insectes opposaient leur affirmation silencieuse...

Il regagna sa cabine. Son dessein, tant qu'il l'avait supporté seul, l'avait retranché du monde, lié à un univers incommunicable comme celui de l'aveugle ou du fou, un univers où la forêt et les monuments s'animaient peu à peu lorsque son attention se relâchait, hostiles comme de grands animaux... La présence de Perken avait tout ramené à l'humain; mais il sombrait de nouveau, lucide et tendu, dans son intoxication d'obsédé. Il rouvrait ses livres aux pages marquées : *" Les motifs d'ornementation sont très ruinés par l'humidité constante du sous-bois et le fouettement des grandes pluies... La voûte est totalement effondrée... Sans doute, trouverait-on des monuments dans cette région maintenant à peu près déserte, couverte de forêts-clairières à travers lesquelles errent des troupeaux d'éléphants et de buffles sauvages... Les blocs de grès dont les voûtes étaient formées remplissent l'intérieur des galeries d'un chaos inextricable; cet état de délabrement, particulièrement lamentable, paraît dû à l'emploi du bois dans la construction... De grands arbres poussés çà et là sur ces amas, dépassent maintenant le couronnement des murs; leurs racines noueuses les enferment dans un réseau à mailles serrées... Le pays est presque désert... "* A l'aide de quoi lutterait-il? Quand s'accentuait le bruit des machines, il essayait de se délivrer des deux mots : " L'Institut français, l'Institut français, l'Institut français " comme d'une scie. " Je connais ces gens-là, avait dit Perken, vous n'êtes pas des leurs. " Évidence. Il prendrait garde. Il savait pourtant de reste que les hommes devinent ceux qui refusent leurs acceptations, que l'athée fait beaucoup plus scandale depuis qu'il n'y a plus de foi. Son grand-père

n'avait vécu que pour le lui enseigner. Ces gens possédaient les deux tiers de ses armes...

*

S<small>E</small> libérer de cette vie livrée à l'espoir et aux songes,
échapper à ce paquebot passif!

III

DEVANT une fenêtre dont le carré de lumière se plaquait sur des palmes et un mur verdi jusqu'au bleu par les pluies tropicales, Albert Ramèges, directeur de l'Institut français, lissait de la main sa barbe châtain, en regardant entrer monsieur Vannec.

"Le Ministère des Colonies, Monsieur, nous avait informés de votre départ; j'ai donc appris avec plaisir, hier, votre arrivée, par la communication téléphonique que vous m'avez adressée. Il va sans dire que dans la mesure où nous pouvons vous être utiles, nous sommes à votre disposition : vous trouverez ici, chez tous nos collaborateurs, si vous avez besoin de... conseils, la bienveillance la plus cordiale. Nous mettrons cela au point tout à l'heure.

Il quitta son bureau et vint s'asseoir près de Claude. "La bienveillance commence", pensa celui-ci; le ton de la voix du directeur devint plus familier.

"Je suis content de vous voir ici, cher Monsieur. J'ai lu avec grande attention les intéressantes communications relatives aux arts asiatiques que vous avez publiées l'année dernière. Et aussi — en apprenant votre arrivée, je l'avoue — votre théorie. Je dois dire que j'ai été plus attiré que convaincu par les considérations que vous avez exposées; mais, en vérité, j'ai été intéressé. L'esprit de votre génération est curieux...

— Je posais ces idées pour... (il pensa : déblayer, et hésita) pour aller en toute liberté vers une autre qui m'intéresse davantage...

Ramèges l'interrogeait du regard; Claude sentait vivement son désir de ne pas se confondre avec sa fonction, de se montrer supérieur à elle, de le recevoir comme un invité — l'ennui aidant, sans doute, et peut-être quelque esprit de corps. Claude connaissait de reste l'hostilité comique qui oppose à tous les autres les archéologues formés par la philologie. Ramèges rêvait de l'Institut. Impossible de parler immédiatement de sa mission : son interlocuteur en eût été aussi sûrement blessé que d'une injure.

— J'en viens donc à dire que la valeur essentielle accordée à l'artiste nous masque l'un des pôles de la vie de l'œuvre d'art : l'état de la civilisation qui la considère. On dirait qu'en art le temps n'existe pas. Ce qui m'intéresse, comprenez-vous, c'est la décomposition, la transformation de ces œuvres, leur vie la plus profonde, qui est faite de la mort des hommes. Toute œuvre d'art, en somme, tend à devenir mythe.

Il sentait qu'il résumait trop sa pensée, obscure à force de concision; gêné par le désir d'en venir à l'objet de sa visite, mais aussi de se concilier son interlocuteur intrigué. Ramèges réfléchissait. Le son des lourdes gouttes qui dehors tombaient une à une pénétra dans la pièce.

— Quoi qu'il en soit, c'est curieux...

— Les musées sont pour moi des lieux où les œuvres du passé, devenues mythes, dorment, — vivent d'une vie historique — en attendant que les artistes les rappellent à une existence réelle. Et si elles me touchent directement, c'est parce que l'artiste a ce pouvoir de résurrection... En profondeur, toute civilisation est impénétrable pour une autre. Mais les

objets restent, et nous sommes aveugles devant eux
jusqu'à ce que nos mythes s'accordent à eux...

Ramèges continuait à sourire, curieux et attentif.
"Il me prend pour un amateur de théories, pensa
Claude. Il est blafard, l'abcès au foie, sans doute;
il me comprendrait tellement mieux s'il sentait que
ce qui m'attache là c'est l'acharnement des hommes
à se défendre contre leur mort par cette éternité
cahotée, si je reliais ce que je lui dis à son abcès!
Passons... " Il sourit à son tour, et ce sourire que
Ramèges attribua au désir de lui être agréable établit
entre eux une certaine cordialité.

— Au fond, dit enfin le directeur, vous n'avez
pas confiance, voilà la vérité, vous n'avez pas confiance... Oh! garder sa confiance n'est pas toujours
facile, je le sais bien... Voyez ce morceau de poterie,
là, sous ce livre, oui. Il nous est envoyé de Tien-Tsin.
Les dessins sont grecs, archaïques sans aucun doute :
vie siècle au moins avant le Christ. Et le dragon chinois figure sur le bouclier! Que de choses à reprendre,
dans les idées que nous avions des rapports entre
l'Europe et l'Asie avant l'ère chrétienne!... Que voulez-vous? Lorsque la science nous montre que nous
nous sommes trompés, il faut recommencer... "

Claude se sentait plus près de Ramèges maintenant, en raison de la tristesse avec laquelle il parlait.
Ces découvertes l'avaient-elles obligé à renoncer à
un travail depuis longtemps entrepris? Par conte-
nance, Claude regardait d'autres photos, les unes de
statues khmères, les autres de statues chames, séparées
en deux séries. Pour rompre le silence qui s'établissait,
il demanda, indiquant les deux paquets :

— Que préférez-vous?

— Que voulez-vous que je préfère? Je fais de
l'archéologie... "

"Je suis revenu de ces goûts, disait le ton, de

cette naïveté de la jeunesse... " Il devina un recul et
s'en irrita légèrement. Quand il ne questionnait pas,
il entendait mener le jeu.

" Venons à vos projets, Monsieur. Vous avez l'intention, si je ne m'abuse, de suivre la piste qui marque
le parcours de l'ancienne route royale khmère...

Claude acquiesça de la tête.

" Je dois vous dire tout d'abord que cette piste,
cette piste même — je ne parle pas de la route —
est invisible sur des espaces considérables. A l'approche
de la chaîne des Dang-Rek, elle se perd complètement.

— Je la retrouverai, répondit Claude en souriant.

— Je dois l'espérer... Il est de mon devoir — et
de ma fonction — de vous mettre en garde contre
les dangers que vous rencontrerez. Vous n'êtes pas
sans savoir que deux de nos chargés de missions,
Henri Maître et Odend'hal, ont été assassinés. Et
cependant, nos malheureux amis connaissaient bien
ce pays.

— Je ne vous étonnerai certainement pas, Monsieur, en vous disant que je ne suis pas à la recherche
du confortable et de la tranquillité. Me permettez-
vous de vous demander quelle aide vous pouvez
mettre à ma disposition?

— Vous recevrez des bons de réquisitions grâce
auxquels vous pourrez disposer par l'intermédiaire
du délégué de la Résidence, comme il convient, des
charrettes cambodgiennes nécessaires au transport de
vos bagages et de leurs conducteurs. Heureusement,
tout ce que transporte une expédition comme la
vôtre est relativement léger...

— La pierre est légère?

— Pour ne pas avoir à déplorer le retour d'abus
regrettables qui se sont produits l'année dernière, il
a été décidé que les objets, quels qu'ils soient, reste-
raient in situ.

— Pardon?

— *In situ :* en place. Ils feront l'objet d'un rapport.
Après examen de ce rapport, le chef de notre service
archéologique, s'il y a lieu, se transportera...

— Après ce que vous m'avez dit, il me semble
peu probable que le chef de votre service archéologique se risque dans les régions que je vais traverser...

— Le cas est particulier; nous y songerons.

— Et s'y risquerait-il, d'ailleurs, que j'aimerais à
comprendre pourquoi je devrais assumer à son profit
le rôle de prospecteur.

— Vous préférez l'assumer au vôtre? demanda
doucement Ramèges.

— En vingt ans, vos services n'ont pas exploré
cette région. Sans doute avaient-ils mieux à faire;
mais je sais ce que je risque, et je souhaite le risquer
sans ordres.

— Mais non sans aide?

Tous deux parlaient lentement, sans élever la voix.
Claude se défendait contre la rage qui l'envahissait :
à quel titre ce fonctionnaire s'arrogeait-il des droits
sur des objets que lui, Claude, pouvait découvrir,
à la recherche desquels il était précisément venu,
auxquels était accroché son dernier espoir?

— Sans autre aide que celle qui m'a été promise.
Avec moins d'aide que vous n'en donnez à un officier
géographe pour traverser une région soumise.

— Vous n'attendez pas de l'administration, Monsieur, qu'elle vous offre une escorte militaire?

— Lui ai-je demandé autre chose que ce que vous
m'avez proposé vous-même : le moyen de réquisitionner (puisqu'il n'y a pas ici d'autre mode d'action)
des conducteurs de charrettes?

Ramèges le regarda en silence. Claude s'attendait
à entendre, dehors, le bruit de l'eau, après un instant
de silence confus; les gouttes ne tombaient plus.

" De deux choses l'une, reprit-il : ou je ne reviendrai pas, et n'en parlons plus; ou je reviendrai, et quel que soit mon profit, il sera dérisoire en comparaison du résultat que j'apporterai.

— A qui?

— Je ne vous ferai pas l'injure, Monsieur, de croire que vous êtes résolu à n'admettre aucune contribution à l'histoire de l'art qui ne vienne de l'Institut que vous dirigez?

— La valeur de ces contributions ne dépend que trop, hélas! de la formation technique, de l'expérience, des habitudes de discipline de ceux qui les apportent...

— L'esprit de discipline ne mène pas en pays insoumis.

— Mais l'esprit qui mène en pays insoumis...

Ramèges, laissant là sa phrase, se leva.

" Je vous dois en effet, Monsieur, une aide déterminée. Comptez que vous la recevrez de moi; quant au reste...

— Quant au reste...

Claude fit un geste qui signifiait, aussi discrètement que possible : " Je m'en charge. "

— Quand voulez-vous partir?

— Au plus tôt.

— Vous recevrez donc vos documents demain soir. "

Le Directeur le reconduisit jusqu'à la porte, avec une grande courtoisie.

*

" Récapitulons. " Claude traversait la cour et regardait, comme pour échapper à sa propre injonction, des fragments de dieux sur lesquels couraient les lézards du soir.

" Récapitulons. "

Il n'y parvenait pas. Il s'engagea sur le boulevard désert. Le mot : colonie, le hantait avec la sonorité plaintive qu'il a dans les romances des Iles. Des chats passaient, clandestins, le long des fossés. . " Ce noble barbu ne veut pas que l'on chasse sur ses terres... " Il commençait pourtant à comprendre que Ramèges n'était pas poussé par l'intérêt comme il l'avait cru d'abord. Il défendait l'ordre moins peut-être contre un projet que contre une nature à ce point opposée à la sienne... Et il défendait le prestige de son Institut. " De son point de vue même, il devrait essayer de tirer de moi ce que je puis lui apporter, puisque de toute évidence ses collaborateurs actuels ne risqueront pas leur peau par là. Il agit comme un administrateur qui constitue des réserves : dans trente ans peut-être, etc... Dans trente ans, son Institut sera-t-il encore là, et les Français en Indochine? Il pense même sans doute que si ses chargés de missions sont morts, c'est pour que des collègues continuent leur œuvre, bien que ni l'un ni l'autre ne soient morts pour son Institut... Si, à travers lui-même, il défend une collectivité, il va devenir hargneux; s'il croit défendre des morts, il va devenir enragé : il faut essayer de prévoir ce qu'il va inventer... "

IV

Sur la vitre de la vedette qui allait les conduire à
terre, Claude retrouvait le profil de Perken, tel qu'il
l'avait vu souvent, pendant les repas, sur le hublot
du paquebot; en arrière, amarré, le bateau blanc qui
les avait amenés de Pnom-Penh dans la nuit. La
région où l'ancien camarade de Perken avait disparu
n'était pas éloignée de la Voie Royale, qui marque
presque la limite de la zone de dissidence; et les ren-
seignements prudemment obtenus à Bangkok avaient
confirmé la valeur du projet de Claude.

La vedette démarra, s'enfonça entre les arbres
immergés : les vitres frôlaient les branches couvertes
de boue coagulée par la chaleur, de filaments de vase
verticaux; sur les troncs, des anneaux d'écume séchée
marquaient la hauteur extrême de la crue. Claude
regardait avec passion ce prologue de la forêt qui
l'attendait, possédé par l'odeur de la vase qui se tend
lentement au soleil, de l'écume fade qui sèche, des
bêtes qui se désagrègent, par le mol aspect des animaux amphibies, couleur de boue, collés aux branches.
Au-delà des feuilles, dans chaque trouée, il tentait
d'apercevoir les tours d'Angkor-Wat sur le profil des
arbres tordus par les vents du lac : en vain; les feuilles,
rouges de crépuscule, se refermaient sur la vie palu-
déenne. La fétidité lui rappela qu'à Pnom-Penh il
avait découvert, au centre d'un cercle misérable, un

aveugle qui psalmodiait le Ramayana en s'accompagnant d'une guitare sauvage. Le Cambodge en décomposition se liait à ce vieillard qui ne troublait plus de
son poème héroïque qu'un cercle de mendiants et de
servantes : terre possédée, terre domestique où les
hymnes comme les temples étaient en ruine, terre
morte entre les mortes; et ces coquillages terreux qui
gargouillaient dans leurs coques, ignobles grillons...
Devant lui la forêt terrestre, l'ennemi, comme un poing
serré.

La vedette accosta enfin. Les Ford du service de
location attendaient les voyageurs; un indigène quitta
leur groupe et se dirigea vers le capitaine.

"Voilà l'oiseau, dit celui-ci à Claude.

— Le boy?

— Je ne suis pas sûr qu'il soit très épatant, mais il
n'y en a pas d'autre à Siem-Reap.

Perken posa au boy les quelques questions d'usage,
et l'engagea.

"Surtout, ne lui donnez pas d'acompte", cria le
capitaine qui s'était un peu éloigné.

L'indigène haussa légèrement l'épaule et prit place
à côté du chauffeur de l'auto des blancs, qui partit
aussitôt. Une autre voiture transportait les bagages.

— Bungalow? demanda le chauffeur, sans se
retourner. (La voiture, sur la route droite, filait déjà.)

— Non, d'abord la Résidence.

La forêt fuyait des deux côtés de la route rouge, sur
quoi se détachait la tête rasée du boy; le crissement
des cigales était si aigu qu'on l'entendait malgré le
bruit du moteur. Soudain, le chauffeur étendit le bras
vers l'horizon un instant apparu : "Angkor-Wat".
Mais Claude ne voyait plus à vingt mètres.

Enfin des feux et des lanternes parurent, tachés de
silhouettes de poules et de porcs noirs : le village. Et
bientôt l'auto s'arrêta.

— Maison du Délégué de la Résidence?

— Oui, Mssié.

— Je ne resterai qu'un instant, je pense, dit Claude
à Perken.

Le délégué l'attendait dans une haute pièce. Il vint
à lui, secouant lentement la main qu'il lui tendait,
comme s'il l'eût soupesée :

" Content de vous voir, Msieu Vannec, content de
vous voir... Vous attendais depuis un moment... En
retard, c' sacré bateau, comme toujours... "

L'homme grognait ses phrases de bienvenue dans
ses épaisses moustaches blanches, sans lâcher la main
de Claude. L'ombre de son nez solide, projetée sur le
mur blanchi à la chaux, écornait une peinture cambod-
gienne.

" Alors, comme ça, vous voulez faire de la brousse?

— Puisque vous êtes informé de ma venue, Monsieur, je pense que vous connaissez exactement la mission que je dois entreprendre?

— Que vous devez, heu, que vous devez entreprendre... Enfin, ça vous regarde.

— Je pense que je puis compter sur votre aide pour
l'exécution des réquisitions nécessaires au départ de
ma caravane?

Le vieux délégué se leva sans répondre; ses join-
tures craquèrent dans le silence.

Il commença à marcher à travers la pièce, suivi de son
ombre.

— Faut marcher, msieu Vannec, si vous ne voulez
pas être bouffé par ces sacrés moustiques... L'heure est
mauvaise, vous savez...

" Les réquisitions... hum!... "

(Ce raclement de gorge m'agace, pensa Claude. Assez
jouer le maréchal gâteux!)

— Les réquisitions?

— Ben, voilà... Pour les avoir, vous les aurez, bien

sûr... Seulement, vous savez, les réquisitions, c'est pas
grand-chose. Je sais bien que les chargés de missions
qui viennent ici n'aiment pas beaucoup qu'on ait l'air de
leur donner des leçons, ça les embête... mais tout de
même...

— Dites.

— Vous, ce que vous voulez faire, c'est pas une
petite balade comme celle des autres. Alors, je dois
vous dire une bonne chose : les réquisitions, dans ce
pays-ci, c'est comme qui dirait : la peau.

— Je n'aurais rien?

— Oh! c'est pas ce que je veux dire. Vous avez une
mission, vous avez une mission; personne n'y peut
rien. On vous donnera ce qu'on doit vous donner. De
ce côté-là, soyez tranquille. Les instructions sont les
instructions. (Quoique, pour vous, ça ne soit pas si
bon que ça en a l'air).

— C'est-à-dire?

— Vous pensez bien que je ne suis pas ici pour vous
faire des confidences, pas? Mais enfin, il y a des choses
qui ne me plaisent pas toujours, dans c'sacré métier.
J'aime pas les histoires. Alors, voyez-vous, je voudrais
vous dire encore une bonne chose, mais alors, une
vraiment bonne chose, ce qui s'appelle un conseil,
quoi! — msieu Vannec, faut pas faire de brousse.
Laissez tomber, c'est plus sage. Rentrez dans une
grande ville, à Saïgon, par exemple. Et attendez un
peu. C'est moi qui vous le dis.

— Pensez-vous que j'aie fait la moitié du tour du
monde pour m'en aller à Saïgon, satisfait, avec un
petit air naïf?

— C'te moitié, vous savez, où l'a tous faite, ici, et
on n'est pas plus fiers pour ça... Mais, justement :
puisque vous vous donniez tant de peine, c'était donc
bien difficile de vous arranger avec msieu Ramèges et
son machin, son Institut? Ç'aurait été mieux pour tout

le monde, et moi je n'aurais pas eu à entrer dans une
histoire... Maintenant, ce que je vous en dis...

— D'une part, cher Monsieur, vous me donnez un
conseil que je dois, semble-t-il, à une certaine sympathie (il faillit ajouter : " ou à une certaine antipathie
pour l'Institut français " mais n'en fit rien); mais,
d'autre part, vous me dites qu'en tout état de cause on
ne m'empêchera pas de tenter ma mission : j'ai peine à...

— J'ai pas dit ça. J'ai dit qu'on vous donnera ce à
quoi vous avez droit.

— Ah... Oui. Je commence peut-être à comprendre.
Mais je voudrais tout de même...

— En savoir plus? Ben dites-vous que c'est un
désir qui ne sera point satisfait. Maintenant, soyons
pratiques : voulez-vous réfléchir?

— Non.

— Vous voulez partir quand même?

— Parfaitement.

— Bon. Espérons que vous avez pour ça de bonnes
raisons, parce que sans ça, msieu Vannec, sans vouloir
vous froisser, vous auriez tort. Là-dessus, faut que je
vous donne — non, ça sera pour plus tard — alors,
que je vous dise un mot de msieu Perken.

— Quoi?

— J'ai là — attendez, dans l'autre dossier, non?
enfin ça ne fait rien — j'ai quelque part, là, une note
de la Sûreté du Cambodge dont je dois aussi " vous
communiquer l'esprit ". Entendons-nous bien : moi,
ce que je vais vous en dire, c'est parce que j'en suis
chargé. Parce que moi, vous savez, j'ai horreur de ces
trucs-là. C't'absurde. Y a une seule chose sérieuse dans
la région, c'est la question du commerce des bois. On
ferait mieux de m'aider à travailler sérieusement que
de m'barber avec des histoires de pierres et de cailloux...

— Donc?

— Voilà : msieu Perken qui voyage avec vous, on

lui a donné ses passeports parce que le Gouvernement
siamois a insisté. Il va rechercher — qu'il dit! — un
certain Grabot. Notez qu'on aurait pu refuser, puisque
c'Grabot, chez nous, est déserteur...

— Pourquoi ne l'a-t-on pas fait? Pas par humanité,
je pense?

— Les disparitions, par ici, faut les tirer au clair.
Enfin, Grabot : une gouape, voilà. Et plutôt à la côte
quand il est parti.

— Je crois que Perken le connaissait assez peu,
mais en quoi cela me regarde-t-il?

— M'sieu Perken, c'est une espèce de grand fonctionnaire siamois, s'pas, bien qu'il soit pas très officiel.
Je l'connais : y a dix ans que j'entends parler d'lui. Et
j'vous dis personnellement ceci : quand il est parti
pour l'Europe, il est entré en pourparlers avec nous —
avec nous, hein, pas avec les Siamois, vous comprenez
bien? — pour tâcher d'avoir quèques mitrailleuses.

Claude regardait le délégué en silence.

" C'est comme ça, msieu Vannec. Alors quand est-ce
que vous voulez partir?

— Le plus tôt possible.

— Dans trois jours, alors. Vous aurez ça à six
heures du matin. Vous avez un boy?

— Oui, dans l'auto.

— Je descends avec vous. Je vais lui donner tout de
suite les instructions nécessaires. Ah! vos lettres! "

Il remit à Claude quelques enveloppes. L'une portait
l'en-tête de l'Institut français. Claude allait l'ouvrir,
mais le ton sur lequel le délégué appelait son boy lui
fit lever la tête : l'auto attendait, bleue sous l'ampoule
de la porte; le boy, qui s'était écarté — en voyant
arriver le délégué sans doute — se rapprochait, hésitant. Ils échangèrent quelques phrases en annamite;
Claude regardait d'autant plus attentivement qu'il ne
comprenait pas. Le boy semblait atterré; le délégué,

ses moustaches blanches pleines de lumière électrique,
gesticulait.

— Je vous préviens que ce boy sort de prison.

— Pour?

— Jeu, divers larcins. Vous feriez bien d'en prendre
un autre.

— Je verrai.

— Enfin, je l'ai mis au courant. Si vous le remplacez,
hum! il transmettra mes instructions... "

Le délégué dit encore une phrase en annamite, puis
il serra la main de Claude. Il regardait le jeune homme
dans les yeux, entrouvrant et refermant la bouche,
comme s'il eût été sur le point de parler; son corps
restait immobile, clair sur le fond sombre de la forêt,
depuis ses cheveux blancs en brosse jusqu'à ses souliers
de toile; il ne desserrait pas son étreinte. "A-t-il
quelque chose à me dire? " se demanda Claude. Mais le
délégué lâcha sa main, fit demi-tour, et, sur un dernier
" hum! " suivi d'un marmonnement, rentra.

— Boy?

— Mssié?

— Comment t'appelles-tu?

— Xa.

— Tu as entendu ce que le délégué a dit de toi?

— Mssié, ça pas vrai!

— Vrai ou pas vrai, ça m'est égal. Tu m'entends?
ça m'est égal. Si tu fais avec moi ce que tu dois faire, le
reste m'est indifférent. Compris?

Le boy regardait Claude, ahuri.

— Compris?

— Oui, Mssié...

— Bon. Tu as entendu aussi ce qu'a dit le Capitaine?

— " Pas donner acompte ".

— Voilà cinq piastres. Chauffeur, démarre. "

Il reprit sa place.

" C'est une méthode ? " demanda Perken en souriant.

— Si vous voulez. S'il est fripouillard, nous ne le reverrons pas demain; sinon, c'est un homme gagné. Le loyalisme est un des rares sentiments qui ne me semblent pas pourris...

— Peut-être... Alors, que dit ce vieux guerrier qui grogne si bien?

Claude réfléchit.

— Des choses assez curieuses, dont je dois vous parler; mais résumons d'abord. Nous aurons nos charrettes après-demain. Il insinue, assez clairement, que je serais sage en retournant à Saïgon...

— Car?

— Car, rien. Il ne va pas plus loin... Il a l'intention d'obéir à des instructions qui, de toute évidence, l'embêtent ou le gênent.

— Vous n'avez pas pu en savoir davantage?

— Non. A moins que... Attendez, at... tendez...

Il avait gardé l'enveloppe dans sa main. Il eut peine à l'ouvrir, et, quand il eut déplié la lettre, ne put la lire. Perken sortit sa lampe électrique.

— Halte! cria Claude.

Le bruit du moteur diminua, s'engloutit dans le crissement des cigales.

" *Cher Monsieur*, lisait Claude à haute voix, *je crois de mon devoir* (ça commence bien) — *pour n'avoir à craindre aucune confusion et pour que vous puissiez exercer sur les personnes susceptibles de vous accompagner la surveillance nécessaire, de vous transmettre l'arrêté ci-joint du Gouverneur général, arrêté toujours en vigueur, et dont le caractère un peu vague sera précisé cette semaine par une nouvelle décision administrative.*

Croyez, je vous prie — (passons! ah mais non, mais non...) — *à tous mes souhaits de bonne chance. Bien attentivement à vous.* (Quel arrêté?)

Il prit la seconde feuille :

" *Le Gouverneur général de l'Indochine, sur la proposition du Directeur de l'Institut français...* (passons, bon sang!...) *arrête* :

" *Tous monuments, découverts* et à découvrir, *situés sur les territoires des provinces de Siam-Reap, Battambang et Sisophon, sont déclarés monuments historiques* "... C'est de 1908.

— Il y a une suite?

— Administrative : dommage de s'être arrêté en si beau chemin! Chauffeur, repars!

— Alors?

Perken dirigeait maintenant sur son visage la lampe électrique.

— Éteignez ça, voulez-vous? Quoi, alors? Vous ne pensez pas que ça change mes intentions?

— Je suis content d'avoir raison de penser que ça ne les change pas. J'attendais de l'Administration une réaction de ce genre, je vous l'ai dit sur le bateau. Ce sera plus difficile, voilà tout. Mais en brousse... "

L'impossibilité où était Claude de revenir en arrière était pour lui à tel point évidente que l'idée de discuter de ce qu'il allait faire l'exaspérait. Le jeu commençait : tant mieux. Il chassait l'inquiétude : il fallait aller plus loin, avancer comme cette auto qui s'enfonçait dans l'air noir, dans la forêt informe.

L'ombre aussitôt dépassée d'un cheval apparut dans la lumière du phare, puis des ampoules électriques...

Le bungalow.

Le boy s'occupait des bagages. Claude, avant même de demander à boire, avait écarté, sur la table de rotin, les numéros jaunis de *l'Illustration*, et, sans prendre garde au bourdonnement des moustiques, dévissait le capuchon de son stylo.

— Vous n'allez pas répondre maintenant?

— Soyez tranquille, je n'enverrai la lettre **que**

quand nous partirons. Mais je vais répondre, ça me calmera les nerfs. Ce sera très court d'ailleurs.

En effet : trois lignes. Il passa la feuille à Perken, tandis qu'il écrivait l'adresse.

> " *Cher Monsieur,*
>
> *La peau de l'ours aussi est déclarée monument historique, mais il pourrait être imprudent de venir la chercher.*

> *Plus attentivement encore*
>
> Claude VANNEC.

Le boy du bungalow apportait les sodas, à tout hasard. "Buvons et sortons, dit Claude. Ce n'est pas tout. "

De l'autre côté de la route commençait la grande chaussée d'Angkor-Wat. Ils s'y engagèrent. Ils se tordaient les pieds à chaque pas sur les dalles disjointes. Perken s'assit sur une pierre.

" Eh bien ? "

Claude lui rapporta la conversation qu'il venait d'avoir avec le délégué. Perken alluma une cigarette : son visage, tout près de la flamme du briquet, sortit une seconde de l'obscurité, flétri, marqué, se fondit dans la lueur rougeâtre du tabac allumé...

" De moi, le délégué ne vous a rien dit de plus ?

— Ça commençait à suffire...

— Et qu'avez-vous pensé de tout cela...

— Rien. Nous jouons ensemble notre vie; je suis ici pour vous aider, non pour vous demander des comptes. Si vous avez besoin de mitrailleuses, je regretterai seulement que vous ne m'en parliez pas, parce que j'aimerais à en trouver pour vous.

Le vaste silence de la forêt retomba, avec son goût de terre fraîchement remuée. L'appel rauque d'un crapaud-buffle — si semblable au cri du porc qu'on égorge — l'emplit soudain, se perdit à la fois dans l'obscurité et l'odeur des étangs...

"Comprenez-moi. Si j'accepte un homme, je l'accepte totalement, je l'accepte comme moi-même. De quel acte, commis par cet homme qui est des miens, puis-je affirmer que je ne l'aurais pas commis?"

Le silence, de nouveau.

— Vous n'avez pas encore été gravement trahi?

— On ne pense pas sans danger contre la masse des hommes. Vers qui irais-je, sinon vers ceux qui se défendent comme moi?

— Ou qui attaquent...

— Ou qui attaquent.

— Et peu vous importe le lieu où l'amitié peut vous entraîner?...

— Craindrai-je l'amour à cause de la vérole? Je ne dis pas : peu m'importe, je dis : je l'accepte."

Dans la nuit, Perken posa sa main sur l'épaule de Claude.

— Je vous souhaite de mourir jeune, Claude, comme j'ai souhaité peu de choses au monde... Vous ne soupçonnez pas ce que c'est que d'être prisonnier de sa propre vie : je n'ai commencé à le deviner, moi, que lorsque nous nous sommes séparés, Sarah et moi. Qu'elle ait couché avec ceux dont la bouche lui plaisait — surtout lorsqu'elle était seule — comme elle m'aurait suivi au bagne, ça ne faisait rien, et elle avait passé à travers beaucoup de choses au Siam depuis son mariage avec le prince Pitsanulok... Une femme qui connaissait la vie, mais pas la mort. Un jour elle a vu que sa vie avait pris une forme : la mienne, que son destin était là et non ailleurs, et elle a commencé à me regarder avec autant de haine que sa glace. (Ce regard de la blanche à qui sa glace montre une fois de plus que les Tropiques vont lui faire pour toujours une tête de fiévreuse, vous savez...) Toutes

ses anciennes espérances de femme jeune se sont mises
à miner sa vie comme une syphilis attrapée dans l'adolescence, — et la mienne par contagion... Vous ne
savez pas ce que c'est que le destin limité, irréfutable,
qui tombe sur vous comme un règlement sur un
prisonnier : la certitude que vous serez cela et pas
autre chose, que vous *aurez été* cela et pas autre chose,
que ce que vous n'avez pas eu, vous ne l'aurez jamais.
Et derrière soi, tous ses espoirs, ses espoirs qu'on a
dans la peau comme on n'aura jamais aucun être
vivant... "

L'odeur de décomposition des étangs enveloppait
Claude, qui revit sa mère errer à travers l'hôtel de
son grand-père : presque cachée dans la pénombre,
à l'exception de la crosse de ses lourds cheveux où
se plaquait le jour, regardant avec épouvante, dans le
petit miroir orné d'un galion romantique, l'affaisse-
ment des coins de sa bouche et le grossissement de
son nez, massant ses paupières avec un geste d'a-
veugle...

" J'ai compris, reprit Perken, parce que je n'étais
pas très loin moi-même de ce moment-là : du moment
où il faut régler le compte de ses espoirs. C'est comme
si nous devions tuer un être pour qui nous avons
vécu. Aussi facile et aussi gai. Encore des mots dont
vous devez ignorer le sens : tuer quelqu'un qui ne
veut pas mourir... Et quand on n'a pas d'enfants,
quand on n'a pas voulu d'enfants, l'espoir est inven-
dable, on ne peut le donner à personne et il s'agit
bien de le tuer soi-même. C'est pourquoi la sympathie
peut devenir si profonde lorsqu'on le rencontre chez
d'autres... "

Comme une note répétée d'octave en octave, des
chants de grenouilles creusaient les ténèbres jusqu'à
l'invisible horizon.

" La jeunesse est une religion dont il faut toujours

finir par se convertir... Et pourtant!... J'ai tenté
sérieusement ce que Mayerena a voulu tenter en se
croyant sur la scène de vos théâtres. Être roi est
idiot; ce qui compte, c'est de faire un royaume. Je
n'ai pas joué l'imbécile avec un sabre; à peine me
suis-je servi de mon fusil (pourtant, croyez que je
tire bien). Mais je suis lié, de façon ou d'autre, à
presque tous les chefs des tribus libres, jusqu'au
Haut-Laos. Voilà quinze ans que cela dure. Je les
ai atteints un à un, abrutis ou courageux. Et ce n'est
pas le Siam qu'ils connaissent : c'est moi.

— Que voulez-vous en faire?

— Je *voulais*... Une force militaire, d'abord. Gros-
sière mais rapidement transformable. Et attendre le
conflit inévitable par ici, soit entre colonisateurs et
colonisés, soit entre colonisateurs seulement. Alors,
le jeu pourrait être joué. Exister dans un grand nombre
d'hommes, et peut-être pour longtemps. Je veux
laisser une cicatrice sur cette carte. Puisque je dois
jouer contre ma mort, j'aime mieux jouer avec vingt
tribus qu'avec un enfant... Je voulais cela comme mon
père voulait la propriété de son voisin, comme je
veux des femmes. "

L'intonation surprit Claude. Rien de la voix de
l'obsédé : rigoureuse, méditée.

— Pourquoi ne le voulez-vous plus?

— Je veux la paix. "

Il disait : la paix comme il eut dit : agir. Bien que
sa cigarette fût allumée, il n'avait pas éteint son
briquet. Il l'approcha du mur, regarda avec attention
les sculptures et la ligne de séparation des pierres.
La paix, il semblait qu'il la cherchât là.

"D'un mur pareil, il serait impossible de rien
emporter... "

Il éteignit enfin la petite flamme. La nuit se replaqua
sur le mur, intense, à peine troublée au-dessus d'eux

par des lueurs (des bâtons d'encens allumés devant
les Bouddhas, sans doute), la moitié des étoiles cachées
par la masse colossale écrasée devant eux et qui s'imposait, sans qu'ils la vissent, par sa seule présence
dans l'ombre.

“ La vase? vous sentez... reprit Perken. Mon projet
aussi est pourri. Je n'ai plus le temps. Avant deux ans,
les prolongements des lignes du chemin de fer seront
achevés. Avant cinq ans, la brousse sera traversée :
routes ou trains.

— C'est la valeur stratégique des routes qui vous
inquiète?

— Elle est nulle. Mais avec l'alcool et la pacotille,
mes Moïs seront fichus. Rien à faire. Il faut que je
passe la main au Siam, ou que j'abandonne.

— Mais les mitrailleuses?

— Dans la région où je réside, je suis libre. Si
je suis armé, j'y tiendrai jusqu'à ma mort. Et il y a
les femmes. Avec quelques mitrailleuses, la région
est imprenable pour un État à moins de sacrifier un
très grand nombre d'hommes. ”

Les lignes du chemin de fer, pas encore achevées,
suffisaient-elles à justifier ses paroles? Il était peu
probable que la région insoumise pût vivre contre
la “ civilisation ”, contre son avant-garde annamite
et siamoise. “ Les femmes... ” Claude n'avait pas
oublié Djibouti.

— Ce sont seulement des réflexions qui vous ont
séparé de votre projet?

— Je ne l'ai pas oublié : si l'occasion... Mais je
ne peux plus vivre avant tout pour lui. J'y ai beaucoup songé, après le fiasco du bordel de Djibouti
aussi... Voyez-vous, je crois que ce qui m'en a séparé,
comme vous dites, ce sont les femmes que j'ai man-
quées. Ce n'est pas l'impuissance, comprenez bien.
Une menace... Comme la première fois que j'ai vu

que Sarah vieillissait. La *fin* de quelque chose, surtout... je me sens vidé de mon espoir, avec une force
qui monte en moi, contre moi, — comme la faim. "

Il sentait le contact étouffé que ces paroles martelées
maintenaient entre Claude et lui.

" J'ai toujours été indifférent à l'argent. Le Siam
me doit plus que je ne lui demanderais, mais il ne
marchera plus. Il se méfie... Non, ce n'est pas qu'il
ait des raisons particulières de le faire : mais il se
méfie de moi en bloc, autant que moi des deux ou
trois années où je suis obligé de réfugier mon espoir...
Il faudrait tenter ces choses sans s'appuyer sur un
État, sans jouer ce rôle de chien de chasse qui attend
de chasser pour son propre compte. Mais jamais
personne ne l'a réussi — et personne, en somme,
ne l'a tenté sérieusement. — Brooke à Sarawak,
même Mayerena... Ces projets-là sont malades quand
il faut réfléchir à ce qu'ils valent. Si j'ai joué ma vie
sur un jeu plus grand que moi...

— Que faire d'autre ?

— Rien. Mais ce jeu me cachait le reste du monde
et j'ai parfois singulièrement besoin qu'il me soit
caché... Si je l'avais réalisé, ce projet... mais que tout
ce que je pense soit pourriture je m'en fous, parce
qu'il y a les femmes.

— Les corps ?

— On n'imagine pas ce qu'il y a de haine du monde
dans le : une de plus. Tout corps qu'on n'a pas eu
est ennemi... " Maintenant, j'ai tous mes vieux rêves
dans les reins...

Sa volonté de convaincre pesait sur Claude, toute
proche, comme ce temple perdu dans la nuit.

" Et puis, rendez-vous compte de ce que c'est que
ce pays. Songez que je commence à comprendre leurs
cultes érotiques, cette assimilation de l'homme qui
arrive à se confondre, jusqu'aux sensations, avec **la**

femme qu'il prend, à s'imaginer *elle* sans cesser d'être
lui-même. Rien ne compte à côté de la volupté d'un
être qui commence à ne plus pouvoir la supporter.
Non, ce ne sont pas des corps, ces femmes : ce sont
des... des possibilités, oui. Et je veux...

Il fit un geste que Claude devina seulement dans
la nuit, comme d'une main qui écrase.

" ... comme j'ai voulu vaincre des hommes... "

" Ce qu'il veut, pensait Claude, c'est s'anéantir. S'en
doute-t-il plus qu'il ne le dit? Il y parviendra assez
bien... " De ses espoirs piétinés, Perken avait parlé sur
un ton qui ne permettait pas de croire à leur abandon;
ou, si l'abandon existait, l'érotisme n'était pas seul à le
compenser.

— Je n'ai pas encore fini avec les hommes... D'où
je serai, je pourrai encore surveiller le Mékong (dommage que je ne connaisse pas la région où nous allons,
ou que vous ne connaissiez pas une voie royale trois
cents kilomètres plus haut!) mais j'entends le surveiller
seul et n'avoir pas de voisin. Il faut voir ce qu'est
devenu Grabot...

— Où est-il parti?

— Tout près des Dang-Rek, à cinquante kilomètres
de notre itinéraire à peu près. Pour quoi faire? Ses
copains de Bangkok disent qu'il est venu pour l'or :
toutes les épaves d'Europe pensent à l'or. Mais il connaît le pays : il ne doit pas croire à cette histoire. On
m'a parlé aussi d'une combinaison, d'une vente d'objets
de traite aux insoumis...

— Comment paient-ils?

— En peaux, un peu en poudre d'or. Une combinaison est plus vraisemblable : il est Parisien : son père
devait inventer des porte-cravates, des démarreurs, des
brise-jet... Je pense qu'il est surtout allé régler certains
comptes avec lui-même... Je vous en parlerai un jour.
Mais il est certainement parti en accord avec le gouver-

nement de Bangkok, sinon on ne tiendrait pas tant à
le retrouver. Sans doute est-il venu pour eux et com-
mence-t-il déjà à jouer son propre jeu, ce qui est tout
de même prématuré... Sinon, il les tiendrait au courant.
Peut-être l'avaient-ils chargé de contrôler ma position
là-haut. Il est précisément parti en mon absence...

— Mais il n'est pas parti dans la même région que
vous?

— Il aurait été accueilli à son arrivée par les flèches,
et surtout quelques balles de mes fusils Gras d'instruc-
tion. Rien à faire. Il n'a pu tenter de venir — s'il l'a
voulu — que par les Dang-Rek.

— Quel homme est-ce?

— Écoutez. Pendant son service militaire, il prend
en haine un médecin-major qui ne l'avait pas "re-
connu" lorsqu'il était malade, je crois, ou pour tout
autre raison. Il se fait porter malade à nouveau la
semaine suivante, va à l'infirmerie : "Encore toi? —
Des boutons — Où ça?..." L'autre ouvre la main :
six boutons de culotte. Un mois de prison. Il écrit
aussitôt au général, précisant une maladie des yeux.
Dès son entrée en prison (j'oubliais de vous dire qu'il
avait une blennorragie) il prend du pus blennorra-
gique, sachant parfaitement ce qu'il faisait, se le colle
dans l'œil. Fait punir le major. Perd l'œil, bien entendu.
Il est borgne. Une de vos têtes toutes rondes de Français, avec un nez en pomme de terre et un corps de
déménageur. Enchanté, à Bangkok, de ses entrées
nonchalantes de grosse brute dans les bars. Vous voyez
cela : les regards qui le suivent à la dérobée, les types
qui s'écartent peu à peu et dans un coin des copains
— pas beaucoup — qui lèvent leur verre en vociférant... Évadé de vos bataillons d'Afrique. Encore un
dont les rapports avec l'érotisme sont particuliers... "

DEUXIÈME PARTIE

I

DEPUIS quatre jours, la forêt.

Depuis quatre jours, campements près des villages nés d'elle comme leurs bouddhas de bois, comme le chaume de palmes de leurs huttes sorties du sol mou en monstrueux insectes; décomposition de l'esprit dans cette lumière d'aquarium, d'une épaisseur d'eau. Ils avaient rencontré déjà des petits monuments écrasés, aux pierres si serrées par les racines qui les fixaient au sol comme des pattes qu'ils ne semblaient plus avoir été élevés par des hommes mais par des êtres disparus habitués à cette vie sans horizon, à ces ténèbres marines. Décomposée par les siècles, la Voie ne montrait sa présence que par ces masses minérales pourries, avec les deux yeux de quelque crapaud immobile dans un angle des pierres. Promesses ou refus, ces monuments abandonnés par la forêt comme des squelettes? La caravane allait-elle enfin atteindre le temple sculpté vers quoi la guidait l'adolescent qui fumait sans discontinuer les cigarettes de Perken? Ils auraient dû être arrivés depuis trois heures... La forêt et la chaleur étaient pourtant plus fortes que l'inquiétude : Claude sombrait comme dans une maladie dans cette fermentation où les formes se gonflaient, s'allongeaient, pourrissaient hors du monde dans lequel l'homme compte,

qui le séparait de lui-même avec la force de l'obscurité.
Et partout, les insectes.

Les autres animaux, furtifs et le plus souvent invi-
sibles, venaient d'un autre univers, où les feuilles des
arbres ne semblent pas collées par l'air même aux
feuilles gluantes sur lesquelles marchent les chevaux;
de l'univers qui apparaissait parfois dans les furieuses
trouées du soleil, dans le remous d'atomes scintillants
où passaient, rapides, des ombres d'oiseaux. Les
insectes, eux, vivaient de la forêt, depuis les boules
noires qu'écrasaient les sabots des bœufs attelés aux
charrettes et les fourmis qui gravissaient en tremblo-
tant les troncs poreux, jusqu'aux araignées retenues
par leurs pattes de sauterelles au centre de toiles de
quatre mètres dont les fils recueillaient le jour qui traînait encore auprès du sol, et apparaissaient de loin sur
la confusion des formes, phosphorescentes et géométriques, dans une immobilité d'éternité. Seules, sur les
mouvements de mollusque de la brousse, elles fixaient
des figures qu'une trouble analogie reliait aux autres
insectes, aux cancrelats, aux mouches, aux bêtes sans
nom dont la tête sortait de la carapace au ras des
mousses, à l'écœurante virulence d'une vie de micro-
scope. Les termitières hautes et blanchâtres, sur lesquelles les termites ne se voyaient jamais, élevaient
dans la pénombre leurs pics de planètes abandonnées
comme si elles eussent trouvé naissance dans la corrup-
tion de l'air, dans l'odeur de champignon, dans la
présence des minuscules sangsues agglutinées sous les
feuilles comme des œufs de mouches. L'unité de la
forêt, maintenant, s'imposait; depuis six jours Claude
avait renoncé à séparer les êtres des formes, la vie qui
bouge de la vie qui suinte; une puissance inconnue
liait aux arbres les fongosités, faisait grouiller toutes
ces choses provisoires sur un sol semblable à l'écume
des marais, dans ces bois fumants de commencement

du monde. Quel acte humain, ici, avait un sens? Quelle
volonté conservait sa force? Tout se ramifiait, s'amol-
lissait, s'efforçait de s'accorder à ce monde ignoble et
attirant à la fois comme le regard des idiots, et qui
attaquait les nerfs avec la même puissance abjecte que
ces araignées suspendues entre les branches, dont il
avait eu d'abord tant de peine à détourner les yeux.

Les chevaux marchaient le col baissé, en silence;
le jeune guide avançait lentement, mais sans hésiter,
suivi du Cambodgien que le délégué avait adjoint à la
caravane pour réquisitionner les conducteurs — et
pour la surveiller : Svay. A l'instant où, le plus vite
possible, Claude tournait la tête (sa crainte maladive
de se jeter dans une toile d'araignée l'obligeait à
regarder avec soin devant lui), un contact le fit sur-
sauter : Perken venait de lui toucher le bras, indiquant
de sa cigarette, très rouge dans cet air si sombre, une
masse perdue dans les arbres et d'où, çà et là, sortaient
des roseaux. Une fois de plus, Claude n'avait rien su
distinguer à travers les troncs. Il s'approcha des vestiges d'un mur de pierre brune, taché de mousse; quelques petites boules de rosée, qui ne s'étaient pas encore
évaporées, brillaient... " L'enceinte, pensa-t-il. Le fossé
a été comblé. "

Le sentier se perdait sous leurs pieds; de l'autre côté
de l'éboulis, qu'ils contournèrent, une profusion de
roseaux, serrés comme ceux d'une claie, barraient la
forêt à hauteur d'homme.

Le boy cria aux conducteurs des charrettes de venir
avec leur coupe-coupe : voix stagnante, écrasée par la
voûte des feuilles... Les mains à demi crispées de Claude
se souvenaient des fouilles, lorsque le marteau retenu
cherche à travers la couche de terre un objet inconnu.
Le buste des conducteurs s'abaissait d'un mouvement
lent, presque paresseux, et se relevait d'un coup, droit,
dominé par la tache bleue du fer qui reflétait, en tour-

nant, la clarté du ciel invisible; à chaque mouvement
des fers parallèles, de droite à gauche, Claude sentait
dans son bras l'aiguille d'un médecin qui jadis, cherchant maladroitement sa veine, lui raclait la chair. Du
chemin qui peu à peu s'approfondissait montait une
odeur de marais, plus fade que celle de la forêt; Perken
suivait pas à pas les conducteurs. Sous ses souliers de
cuir un roseau mort sans doute depuis longtemps
craqua avec un bruit sec : deux grenouilles des ruines
s'enfuirent sans hâte.

Au-dessus des arbres, de grands oiseaux s'envo-
lèrent lourdement; les faucheurs venaient d'atteindre
un mur. Il devenait facile de retrouver la porte, pour
s'orienter ensuite : ils n'avaient pu dériver qu'à gauche;
il suffisait donc de suivre le mur vers la droite. Roseaux
et buissons épineux venaient jusqu'à son pied. Claude,
d'un rétablissement, se trouva sur lui.

— "Pouvez-vous avancer?" demanda Perken.

Le mur traversait la végétation comme un chemin,
mais sous une mousse gluante. La chute, si Claude
voulait marcher, était d'un extrême danger : la gangrène
est aussi maîtresse de la forêt que l'insecte. Il commença
à avancer à plat ventre; la mousse à l'odeur de pourriture, couverte de feuilles mi-visqueuses, mi-réduites
aux nervures comme si elle les eût en partie digérées,
s'étendait à hauteur de son visage, grossie par la proxi-
mité, vaguement agitée dans l'air si calme, rappelant
par le mouvement des fibrilles la présence des insectes.
Au troisième mètre, il sentit un chatouillement.

Il s'arrêta, raclant son cou de sa main. Le chatouillement passa sur elle, il la ramena aussitôt : deux
fourmis noires grandes comme des guêpes, les antennes
distinctes, essayaient de se glisser entre ses doigts.
Il secoua sa main de toute sa force : elles tombèrent.
Il était déjà debout. Pas de fourmis sur ses vêtements.
A l'extrémité du mur, à cent mètres, une trouée plus

claire : la porte, sans aucun doute, et les sculptures. En
bas, le sol criblé de pierres éboulées. Sur la trouée
claire, une branche passait en silhouette; de grandes
fourmis, le ventre en silhouette aussi, les pattes invi-
sibles, la suivaient comme un pont. Claude voulut
l'écarter mais il la manqua d'abord. "Il faut absolument que j'arrive au bout. S'il y a des fourmis rouges,
ça ira mal, mais si je revenais, ça irait plus mal... A
moins qu'on n'ait exagéré?" — "Eh bien?" cria
Perken. Il ne répondit rien, avança d'un pas. Équilibre
plus que précaire. Ce mur attirait ses mains avec une
force d'être vivant : il se laissa tomber sur lui; et à
l'instant, conseillé par ses muscles, il comprit comment
il devait marcher : non sur les mains et les genoux,
mais sur les mains et la pointe des pieds (il pensa au
gros dos des chats). Il avança aussitôt. Chaque main
pouvait défendre l'autre; pieds et mollets étaient protégés par le cuir, leur contact avec la mousse réduit au
minimum. "Ça va", cria-t-il. Sa voix le surprit, criarde
et désaccordée : elle n'avait pas encore oublié les
fourmis. Il avançait lentement, exaspéré par le peu
d'obéissance de son corps maladroit, par les mouvements impatients qui jetaient ses reins de droite à
gauche, au lieu de le faire aller plus vite. Il s'arrêta
encore, une main en l'air, chien au guet, bloqué par
une nouvelle sensation que sa surexcitation avait
retardée : dans sa main levée persistait l'écrasement de
minuscules œufs agglutinés, de bêtes à coques. De
nouveau, ses membres étaient enrayés. Il ne voyait
que la tache de lumière qui l'absorbait, mais ses nerfs
ne voyaient que les insectes écrasés, n'obéissaient qu'à
leur contact. Déjà relevé, crachant, il vit grouillantes
d'insectes, une seconde, ces pierres du sol sur quoi
pouvait s'écraser sa vie; dérivé du dégoût par le danger,
il retomba sur le mur avec une brutalité de bête en
fuite, avançant de nouveau, ses mains gluantes collées

aux feuilles pourries, hébété de dégoût, n'existant plus
que pour cette trouée qui le tirait par les yeux. Comme
une chose qui éclate, elle fit place au ciel. Il s'arrêta,
stupide : dans cette position, il ne savait plus sauter.

Il put enfin prendre l'angle du mur et descendre.

Des dalles envahies par les basses herbes conduisaient à une nouvelle masse sombre : une seule tour,
de toute évidence; il connaissait les plans de ce genre
de sanctuaire. Libre enfin de courir comme un homme il
se jeta en avant, la tête mal protégée par le bras replié,
au risque de s'ouvrir la gorge sur une liane de rotin.

Inutile de chercher des sculptures : le monument
était inachevé.

II

La forêt s'était refermée sur cet espoir abandonné.
Depuis des jours, la caravane n'avait rencontré que
des ruines sans importance; vivante et morte comme le
lit d'un fleuve, la Voie Royale ne menait plus qu'aux
vestiges que laissent derrière elles, tels des ossements,
les migrations et les armées. Au dernier village, des
chercheurs de bois avaient parlé d'un grand édifice, le
Ta Mean, situé à la crête des monts, entre les marches
cambodgiennes et une partie inexplorée du Siam, dans
une région Moï. "Plusieurs centaines de mètres de
bas-reliefs... "

Si c'était vrai, un sinistre supplice de Tantale ne les
attendait-il pas là? "Impossible de sortir une seule
pierre du mur d'Angkor-Wat ", avait dit Perken. Hors
de doute. La sueur coulait sur le visage de Claude et
sur son corps, gluante, intolérable. Bien que, dans
cette forêt parcourue, une fois l'an, par quelque
minable caravane de charrettes chargées de verroteries
que les indigènes allaient troquer contre le stick-laque
et les cardamomes des sauvages, sa vie valût le prix
d'une balle, il ne croyait pas que les pirates osassent
attaquer, sans l'espoir d'un grand profit, des Européens armés. (Mais ces pirates connaissaient peut-être
des temples...); et pourtant, l'inquiétude rôdait en lui.
" La fatigue?... " pensa-t-il; à l'instant même, il comprit
que son regard, qui depuis quelques minutes errait sur

la toison d'arbres d'une colline apparue dans une
trouée, suivait la fumée d'un feu. Depuis plusieurs
jours, ils n'avaient pas rencontré un être humain.

Les indigènes, eux, avaient vu la fumée. Tous la
suivaient du regard, les épaules rentrées dans le cou
comme en face d'une catastrophe. Malgré l'absence
du vent, une bouffée d'odeur de chair brûlée passa :
les animaux s'arrêtèrent.

— Des sauvages nomades... dit Perken. S'ils brû-
lent leurs morts, ils sont tous là-bas...

Il sortit son revolver.

" Mais s'ils tiennent la piste... "

Il entrait déjà dans les feuilles, Claude sur ses
talons; les mains contre le corps par crainte des
sangsues qui commençaient à s'agglutiner sur leurs
vêtements, les doigts crispés sur le revolver, ils avançaient, l'épaule en avant, sans un mot. A la transpa-
rence soudaine de tout le feuillage qui jaunit la forêt,
Claude devina une clairière : sous le soleil, la rive
opposée de la forêt brillait comme de l'eau, dominée
par de minces palmes au-dessus desquelles montait
toujours, verticale, lourde, lente, la fumée. " Surtout,
restez sous bois ", dit Perken à voix basse. Des cla-
meurs assourdies les guidaient. Claude fut saisi de
nouveau par l'odeur de viande brûlée; dès qu'il le
put, il écarta les branches : au-dessus d'un rang de
buissons qui le gênaient, passaient dans un grand
mouvement confus des têtes aux grosses lèvres et
des fers de lance éblouissants; la sourde mélopée
battait le feuillage autour d'eux. Au centre de la
clairière, d'une tour trapue faite de claies, la fumée
montait, épaisse et blanche. Au sommet, quatre têtes
de buffles en bois, aux cornes grandes comme des
barques, se plaquaient sur le ciel; appuyé sur la hampe
de sa lance miroitante, se grattant la tête et penché
vers l'intérieur du bûcher, un guerrier jaune regar-

dait, nu, le sexe dressé. Ainsi tapi, Claude était fixé
à ce spectacle par les yeux, par les mains, par les feuilles
qu'il sentait malgré ses vêtements, par le sentiment
panique qui tombait sur lui, enfant, devant les serpents
et les crustacés vivants.

Perken revenait en arrière : Claude se releva en
toute hâte prêt à tirer. Dès que s'éteignit le craquement des branches, le courant de la mélopée se réta-
blit à travers le silence, de plus en plus faible à mesure
qu'ils s'éloignaient...

Ils retrouvèrent leur caravane.

"Hop, filons!" dit Perken, rageusement.

Les charrettes repartirent précipitamment avec un
arpège d'essieux qui retentit dans chacun des muscles
de Claude. Entre les arbres, quelquefois, la fumée
apparaissait encore, immobile. Dès qu'ils la voyaient
les indigènes tentaient de hâter encore l'allure de
leurs bêtes, recroquevillés sur le timon des charrettes
comme par une terreur sacrée. Parfois apparaissaient
de l'autre côté d'un ravin, par grands pans, des roches
orangées vers lesquelles s'élevait la marée des arbres,
éclatantes sur le ciel dont l'outremer s'affaiblissait à
peine. Dès qu'une nouvelle trouée les délivrait de
la forêt, tous suivaient des yeux la cime des arbres
lointains, craignant de découvrir un nouveau feu :
rien ne troublait l'immobilité du ciel et des masses
du feuillage sur lesquelles l'air chaud tremblait comme
au-dessus d'une cheminée, à grandes ondes préci-
pitées.

*

La nuit et le jour, la nuit et le jour; enfin un dernier
village grelottant de paludisme, perdu dans l'universelle désagrégation des choses sous le soleil invisible. Quelquefois, de plus en plus proches, les mon-

tagnes. Les branches basses retombaient en claquant
sur le toit des charrettes comme sur des caisses de
résonance; mais cette intermittente flagellation elle-
même se décomposait dans la chaleur. Contre l'air
suffocant qui montait du sol, subsistait seule l'affirmation du dernier guide : le monument vers lequel
ils marchaient maintenant était sculpté.

Comme toujours.

Bien qu'il doutât de ce temple, de chacun de ceux
vers quoi ils marcheraient, Claude restait lié à leur
ensemble par une confiance trouble, faite d'affirmations logiques et de doutes si profonds qu'ils en devenaient physiques, comme si ses yeux et ses nerfs
eussent protesté contre son espoir, contre les promesses jamais tenues de ce fantôme de route.

Enfin, ils atteignirent un mur.

Le regard de Claude commençait à s'habituer à
la forêt; assez près pour distinguer les mille-pattes
qui parcouraient la pierre, il vit que ce guide, plus
ingénieux que les précédents, les avait conduits à un
affaiblissement qui ne pouvait marquer que la place
de l'ancienne entrée. Comme autour des autres temples,
montaient les grilles enchevêtrées des roseaux. Perken,
qui maintenant n'ignorait plus la végétation des monuments, indiqua une direction : là, la masse des roseaux
était moins dense : " Les dalles. " Elles conduisaient
certainement au sanctuaire. Les conducteurs se mirent
à l'ouvrage. Dans un bruit de papier froissé, les
roseaux tranchés tombaient à droite et à gauche avec
mollesse, laissant sur le sol des pointes très blanches
dans la pénombre : la moelle des tiges coupées en
sifflet. " Si ce temple-ci est sans sculptures et sans
statues, songeait Claude, quelles chances nous restent?
Aucun conducteur ne nous accompagnera au Ta Mean,
Perken, le boy et moi... Depuis que nous avons croisé
les sauvages, ils n'ont qu'un désir : filer. A trois,

comment manœuvrer les blocs de deux tonnes des
grands bas-reliefs?... Des statues peut-être? Et puis,
la chance... Tout ça est bête comme une histoire de
chercheurs de trésors... "

Son regard quitta les éclairs des coupe-coupe et
retomba sur le sol : les sections des roseaux devenaient
déjà brunes. Prendre, lui aussi, un coupe-coupe et
frapper, plus fort que ces paysans! Ah! de grands
coups de faux à travers ces roseaux!... Le guide le
toucha doucement pour attirer son attention : après
la chute d'une dernière touffe, protégés par les pierres,
rayés par quelques roseaux restés debout, les blocs
qui formaient la porte se distinguaient, lisses.

Sans sculptures, encore une fois.

Le guide souriait, l'index toujours tendu. Jamais
Claude n'avait éprouvé un tel désir de frapper. Serrant les poings, il se retourna vers Perken, qui souriait
aussi. L'amitié que Claude lui portait se changea d'un
coup en fureur; pourtant, orienté par la direction
commune des regards, il détourna la tête : la porte,
qui sans doute avait été monumentale, commençait
en avant du mur, et non où il la cherchait. Ce que
regardaient tous ces hommes habitués à la forêt,
c'était l'un de ses angles, debout comme une pyramide
sur des décombres, et portant à son sommet, fragile
mais intacte, une figure de grès au diadème sculpté
avec une extrême précision. Claude, entre les feuilles,
distinguait maintenant un oiseau de pierre, avec des
ailes éployées et un bec de perroquet; un épais
rai de soleil se brisait sur l'une de ses pattes. Sa
colère disparut dans ce minuscule espace éblouissant;
la joie l'envahit, une reconnaissance sans objet, une
allégresse aussitôt suivie d'un attendrissement stupide.
Il avança sans y prendre garde, possédé par la sculpture, jusqu'en face de la porte. Le linteau s'était
écroulé, entraînant tout ce qui le surmontait, mais les

branches qui enserraient les montants restés debout,
tressées, formaient une voûte à la fois noueuse et
molle que le soleil ne traversait pas. A travers le
tunnel, au-delà des pierres écroulées dont les angles
noirs, à contre-jour, obstruaient le passage, était tendu
un rideau de pariétaires, de plantes légères ramifiées
en veines de sève. Perken le creva, découvrant un
éblouissement confus d'où ne sortaient que les triangles
des feuilles d'agave, d'un éclat de miroir; Claude
franchit le passage, de pierre en pierre, en s'appuyant
aux murs, et frotta contre son pantalon ses mains
pour se délivrer de la sensation d'éponge née de la
mousse. Il se souvint soudain du mur aux fourmis :
comme alors, un trou brillant, peuplé de feuilles,
semblait s'être évanoui dans la grande lumière trouble,
rétablie une fois de plus sur son empire pourri. Des
pierres, des pierres, quelques-unes à plat, presque
toutes un angle en l'air : un chantier envahi par la
brousse. Des pans de mur de grès violet, les uns
sculptés, les autres nus, d'où pendaient des fougères;
certains portaient la patine rouge du feu. Devant
lui, des bas-reliefs de haute époque, très indianisés
(Claude s'approchait d'eux), mais très beaux, entouraient d'anciennes ouvertures à demi cachées sous un
rempart de pierres éboulées. Il se décida à les dépasser
du regard : au-dessus, trois tours démolies jusqu'à
deux mètres du sol, leurs trois tronçons sortant d'un
écroulement si total que la végétation naine seule
s'y développait, comme fichés dans cet éboulis; des
grenouilles jaunes s'en écartaient avec lenteur. Les
ombres s'étaient raccourcies : le soleil invisible montait dans le ciel.

Un immobile frémissement, une vibration sans fin
animait les dernières feuilles, bien qu'aucun vent ne
se fût levé : la chaleur...

Une pierre détachée tomba, retentit deux fois, sourdement d'abord puis avec un son clair, appelant dans l'esprit de Claude le mot : in-so-lite. Plus que ces pierres mortes à peine animées par le cheminement des grenouilles qui n'avaient jamais vu d'hommes, que ce temple écrasé sous un si décisif abandon, que la violence clandestine de la vie végétale, quelque chose d'inhumain faisait peser sur les décombres et les plantes voraces fixées comme des êtres terrifiés une angoisse qui protégeait avec une force de cadavre ces figures dont le geste séculaire régnait sur une cour de mille-pattes et de bêtes des ruines. Perken le dépassa : ce monde d'abîme sous-marin perdit sa vie comme une méduse jetée sur une grève, sans force tout à coup contre deux hommes blancs. " Je vais chercher les instruments. " Son ombre s'enfonça dans le tunnel où les pariétaires déchirés pendaient.

Il semblait que la tour principale se fût écroulée tout entière d'un seul côté, car trois de ses murs étaient restés debout, à l'extrémité du plus gros amoncellement. Entre eux, le sol avait été jadis profondément creusé : les indigènes chercheurs de trésors étaient venus, après les incendiaires siamois. Au centre même de l'excavation, une termitière se dressait, pointue, couleur de ciment, abandonnée sans doute. Perken revint, une scie à métaux et un bâton à la main, un marteau sortant la tête de sa poche gauche distendue par un poids. Il en tira une masse de carrier et l'emmancha au bout du bâton.

— Svay est resté au village, comme je le lui ai dit. "

Claude avait déjà saisi la scie, dont la monture nickelée brillait sur la pierre sombre. Près d'un des murs, écroulé en escalier et dont un bas-relief était à sa portée, il hésitait.

— Qu'avez-vous ? demanda Perken.

— C'est idiot... J'ai l'impression que ça ne marchera pas...

Il voyait cette pierre comme pour la première fois;
il ne pouvait échapper à l'idée d'une disproportion
entre elle et la scie, d'une impossibilité. Il attaqua le
bloc, après l'avoir mouillé. La scie pénétra dans le
grès en grinçant. Au cinquième effort elle glissa;
il la sortit de l'entaille : plus une dent.

Ils possédaient deux douzaines de lames; l'entaille
était profonde d'un centimètre. Il jeta la scie et regarda
devant lui : par terre, nombre de pierres portaient
des fragments de bas-reliefs presque effacés. Il ne
leur avait pas prêté attention encore, obsédé par les
murs. Celles dont la face sculptée était tournée du
côté du sol n'auraient-elles pas été protégées par
la terre?

Perken avait devancé sa pensée. Il avait appelé les
conducteurs, qui firent rapidement des leviers avec
de jeunes arbres et commencèrent à retourner les
blocs. La pierre, lentement, se soulevait, pivotait sur
l'une de ses faces et retombait avec un han! sourd,
montrant, à travers le réseau que traçait la fuite des
cloportes affolés, les traces d'une figure. Sur l'alvéole
laissé dans la terre, net et verni comme un moule,
un nouveau bloc tombait et, une à une, les pierres
montraient leurs faces rongées par le sol depuis le
dernier siècle des invasions siamoises, à travers l'épouvante des insectes dont les lignes tremblantes se bri-
saient en se précipitant vers la forêt avec une infime
frénésie. Plus les bas-reliefs montraient leurs formes
ravagées, plus s'imposait de nouveau à Claude la certitude que, seules, les pierres qui formaient l'un des
pans restés debout du temple principal pourraient être
emportées.

Sculptées sur les deux côtés, les pierres d'angle figu-
raient deux danseuses : le motif était sculpté sur trois
pierres superposées. Celle du sommet, sous une poussée
assez forte, tomberait sans doute.

— Combien ça vaut-il, à votre avis? demanda Perken.

— Les deux danseuses?

— Oui.

— Difficile à savoir; en tout cas, plus de cinq cent mille francs.

— Vous êtes sûr?

— Oui. ”

Ces mitrailleuses qu'il était allé chercher en Europe, elles étaient là, dans cette forêt qu'il connaissait, dans ces pierres... Y avait-il des temples dans sa région? Peut-être pouvait-il attendre d'eux beaucoup plus que ses mitrailleuses; ne pourrait-il pas, s'il trouvait là-haut quelques temples, intervenir à Bangkok, en même temps qu'il armerait ses hommes? Un autre temple : dix mitrailleuses, deux cents fusils... En face de ce monument, il oubliait le grand nombre de temples sans sculpture, il oubliait la Voie... Il imaginait ses défilés, avec la ligne éclatante du soleil sur le canon des mitrailleuses, l'étincelle du point de mire...

Déjà Claude faisait dégager le sol, afin que la pierre ne se brisât pas en en rencontrant une autre. Pendant que les hommes maniaient les blocs, il la regardait : sur l'une des têtes, dont les lèvres souriaient comme le font d'ordinaire celles des statues khmères, une mousse très fine s'étendait, d'un gris bleu, semblable au duvet des pêches d'Europe. Trois hommes la poussèrent de l'épaule, en mesure : elle bascula, tomba sur sa tranche et s'enfonça assez profondément pour rester droite. Son déplacement avait creusé dans la pierre sur laquelle elle reposait deux raies brillantes, que suivaient en rang des fourmis mates, tout occupées à sauver leurs œufs. Mais cette seconde pierre, dont la face supérieure apparaissait maintenant, n'était pas posée comme la première; elle était encastrée dans le mur encore debout, prise entre deux blocs de plusieurs tonnes. L'en dé-

gager? il eût fallu jeter bas tout le mur; et si les pierres
des parties sculptées, d'un grès choisi, pouvaient être
à grand-peine maniées, les autres, énormes, devaient
rester immobiles jusqu'à ce que quelques siècles, ou les
figuiers des ruines les jetassent à terre.

Comment les Siamois avaient-ils pu détruire tant de
temples? On parlait d'éléphants, attelés à ces murs en
grand nombre... Pas d'éléphants. Il fallait donc couper
ou casser cette pierre pour séparer la partie sculptée,
dont les dernières fourmis s'enfuyaient, de la partie
brute encastrée dans le mur.

Les conducteurs attendaient, appuyés sur leurs
leviers de bois. Perken avait sorti de sa poche son
marteau et un ciseau : sans doute le plus sage, en effet,
était-il de tracer au ciseau une étroite tranchée dans la
pierre, et de la détacher ainsi. Il commença de frapper.
Mais, soit qu'il employât mal l'outil, soit que le grès
fût très dur, ne sautaient que des fragments de quelques
millimètres d'épaisseur.

Les indigènes seraient plus maladroits que lui
encore.

Claude ne quittait pas la pierre du regard... Nette,
solide, lourde, sur ce fond tremblant de feuilles et de
ronds de soleil; chargée d'hostilité. Il ne distinguait
plus les raies, ni la poussière du grès; les dernières
fourmis étaient parties, sans oublier un seul de leurs
œufs mous. Cette pierre était là, opiniâtre, être vivant,
passif et capable de refus. En Claude montait une
sourde et stupide colère : il s'arc-bouta et poussa le
bloc, de toute sa force. Son exaspération croissait,
cherchant un objet. Perken, le marteau en l'air, le suivait du regard, la bouche à demi ouverte. Cet homme
qui connaissait si bien la forêt ignorait tout des pierres.
Ah! avoir été maçon six mois! Faire tirer les hommes,
tous à la fois, sur une corde?... Autant gratter avec les
ongles. Et comment passer une corde? Cependant

c'était sa vie menacée qui était là... Sa vie. Tout l'entê-
tement, la volonté tendue, toute la fureur dominée qui
l'avaient guidé à travers cette forêt, tendaient à découvrir cette barrière, cette pierre immobile dressée entre
le Siam et lui.

Plus il la regardait et plus il était certain qu'il n'atteindrait pas le Ta Mean avec les charrettes; et les pierres
du Ta Mean ne seraient-elles pas semblables à celles-ci?
La volonté de vaincre le bouleversait comme la soif
ou la faim, serrait ses doigts sur le manche du marteau
qu'il venait d'arracher à Perken. De rage, il cogna sur
la pierre de toute sa force; le marteau rebondit plusieurs
fois avec un bruit ridicule dans le silence; le pied de
biche poli qui le terminait brilla en traversant un rayon
de soleil. Il s'arrêta, le regard fixe, puis précipitamment, comme s'il eût craint que son idée ne lui échap-
pât, il retourna le marteau et frappa de nouveau, à
toute volée, près de l'encoche brillante laissée par le
ciseau de Perken. Un morceau de plusieurs centimètres de long sauta; aussitôt il lâcha le marteau,
frotta ses paupières... Par chance, la poussière du grès
seule les avait atteintes. Dès qu'il vit clair de nouveau,
il sortit de sa poche ses lunettes noires et en protégea
ses yeux, puis, il recommença à frapper. Le pied-de-
biche était un instrument efficace : il atteignait le grès
sans l'intermédiaire d'un ciseau, avec plus de force et
beaucoup plus souvent. Sous chaque coup, une large
écaille sautait; dans quelques heures...

Il fallait faire couper par les indigènes les roseaux
qui obstruaient tous les passages; Perken reprit le
marteau. Claude, pour préparer le chemin, s'était un
peu éloigné avec les conducteurs : il entendait les coups
nets, rapides et inégaux comme ceux des manipula-
teurs de télégraphe, qui dominaient le bruit des
roseaux fauchés, humains et vains dans l'immense
silence de la brousse, dans la chaleur... Quand il revint,

des écailles de grès jonchaient le sol autour d'une
coulée de poussière dont la couleur l'étonna : blanche,
bien que le grès fût violet. Perken se retourna, et
Claude vit l'entaille, claire comme la poussière, large,
car il était impossible de frapper toujours au même
endroit...

A son tour, il se remit au travail. Perken continua
à préparer la piste, en faisant déblayer le chemin : il
serait difficile de transporter les blocs; le plus simple
serait donc de les faire tourner de face en face, après en
avoir écarté les cailloux. Mètre par mètre, la piste
s'allongeait sous les ombres maintenant verticales; le
bruit des coups de marteau demeurait seul dans cette
lumière de plus en plus jaune, ces ombres de plus en
plus courtes, cette chaleur de plus en plus intense.
Elle ne pesait pas sur les épaules, elle agissait comme
un poison, détendant peu à peu les muscles, tirant la
force avec la sueur qui coulait sur les visages et for-
mait avec la poussière du grès, sous les lunettes noires,
de longues rigoles, comme sous des yeux arrachés.
Claude frappait presque sans conscience, comme
marche un homme perdu dans un désert. Sa pensée en
miettes, effondrée comme le temple, ne tressaillait plus
que de l'exaltation de compter les coups : un de plus,
toujours un de plus... Désagrégation de la forêt, du
temple, de tout... Un mur de prison, et comme des
coups de lime, ces coups de marteau, constants, constants.

Soudain, un vide : tout reprit vie, retomba à sa
place comme si ce qui entourait Claude se fût écroulé
sur lui; il resta immobile, atterré. Perken n'entendant
plus rien fit quelques pas en arrière : les deux pattes
du pied-de-biche venaient de casser.

Il courut, prit le marteau des mains de Claude,
songea à user ou limer en pied-de-biche la cassure, vit
l'absurdité de ce projet, et, furieux, frappa la pierre à

toute volée comme Claude l'avait fait tout à l'heure.
Enfin il s'assit, s'efforçant de réfléchir. Ils avaient
acheté plusieurs manches, par prudence, mais un
seul fer...

Les réflexions qui s'imposaient, Claude les retrouvait
en se délivrant de l'impression de catastrophe qui
l'avait envahi : c'étaient celles qu'il avait faites avant
de penser au pied-de-biche. De même que l'idée d'em-
ployer ainsi le marteau s'était imposée soudain,
quelque autre idée ne s'imposerait-elle pas maintenant?
Mais la fatigue, la lassitude, un dégoût de créature
exténuée le pénétraient. Se coucher... Après tant
d'efforts, la forêt reprenait sa puissance de prison.
Dépendance, abandon de la volonté, de la chair même.
Comme si le sang, pulsation à pulsation, s'écoulait... Il
s'imagina là, les bras serrés contre la poitrine comme
par la fièvre, recroquevillé, perdant toute conscience,
obéissant avec le sentiment d'une libération aux solli-
citations de la brousse et de la chaleur; et soudain, il
trouva dans la terreur le besoin de se défendre encore.
Dans l'entaille triangulaire, la poussière du grès coulait
doucement, brillante et blanche comme du sel, accentuant, par sa chute de sablier, la masse de la pierre, de
la pierre qui reprenait une vie indestructible, une vie
de montagne : le regard en restait prisonnier. Il se
sentait lié à elle par la haine comme à un être animé;
et c'était bien ainsi qu'elle gardait le passage et qu'elle
le gardait lui-même, qu'elle se chargeait soudain de
l'élan qui depuis des mois portait sa vie.

Il s'efforçait d'appeler à son aide son intelligence
diluée dans cette forêt... Il ne s'agissait plus de vivre
avec intelligence, mais de vivre. L'instinct, libéré par
l'engourdissement de la brousse, le portait contre cette
pierre, les dents serrées, l'épaule en avant.

Regardant du coin de l'œil l'entaille ainsi qu'il l'eût
fait d'une bête aux aguets, il prit la masse de carrier et

en frappa le bloc, après une sorte de moulinet de tout son corps. La poussière du grès recommença de couler. Il la regarda, fasciné par sa ligne brillante; sa haine se concentrait sur elle, et sans la quitter du regard, il frappa à grands coups, le buste et les bras liés à la masse, oscillant sur les jambes comme un lourd balancier. Il n'avait plus de conscience que dans les bras et les reins; sa vie, l'espoir de sa dernière année, le sentiment d'un échec, se confondaient en fureur et ne vivait plus que dans le choc frénétique qui l'ébranlait tout entier, et le délivrait de la brousse comme un éblouissement.

Il s'arrêta. Perken venait de se courber devant l'angle du mur.

— "Attention : la pierre que nous attaquons est *seule* encastrée. Voyez celle du dessous : elle n'est que posée, comme l'était celle du dessus : il faut d'abord la dégager. Ensuite, celle-ci sera en porte à faux, et comme l'entaille ne lui a fait aucun bien... "

Claude appela deux des Cambodgiens et tira de toute sa force la pierre du dessous, tandis qu'ils la poussaient. En vain : la terre, et, sans doute, des petits végétaux, la retenaient. Il savait que les temples khmers n'ont pas de fondations; il fit aussitôt creuser une petite tranchée autour d'elle, puis au-dessous, pour la dégager. Les paysans, qui avaient travaillé très vite et très habilement lorsqu'ils avaient creusé autour de la pierre, travaillaient maintenant avec lenteur : ils craignaient que le bloc ne leur broyât les mains. Il les remplaça. Quand le trou fut assez profond, il fit couper quelques troncs et plaça des étais; l'odeur de la terre moite, des feuilles pourries, des pierres lavées par les pluies, plus forte que jamais, imprégnait ses vêtements de toile trempés.

Enfin, Perken et lui parurent extraire la pierre : elle bascula, montrant sa face inférieure couverte de cloportes incolores qui, fuyant les coups, s'étaient réfugiés sous elle.

Ils possédaient maintenant les têtes et les pieds des danseuses. Les corps restaient seuls sur la seconde pierre dégagée, qui sortait du mur comme un créneau horizontal.

Perken prit la masse et recommença de frapper la pierre supérieure. Il avait espéré qu'elle céderait au premier coup, mais il n'en était rien, et il continuait à frapper, mécaniquement, repris par la fureur... Une seconde, il vit ses défilés sans mitrailleuses ravagés, bouleversés comme par le passage des éléphants sauvages. Des coups répétés, de la perte de sa lucidité, un plaisir érotique montait, comme de tout combat lent; ces coups, de nouveau, l'attachaient à la pierre...

Soudain — différence de son sous le coup — sa respiration se suspendit; il arracha ses lunettes : une vision brouillée, bleue et verte, se précipita en lui; mais, tandis que ses paupières battaient, une autre vision s'imposait, plus forte que celle de tout ce qui l'entourait : la cassure! Le soleil scintillait sur elle; la partie sculptée, portant, elle aussi, sa cassure nette, gisait dans l'herbe comme une tête tranchée.

Il respira enfin, lentement, profondément. Claude, lui aussi, était délivré; plus faible, il eût pleuré. Le monde reprenait possession de lui comme d'un noyé; la stupide gratitude qu'il avait connue en découvrant la première figure sculptée l'envahissait à nouveau. En face de cette pierre tombée, la cassure en l'air, un accord soudain s'établissait entre la forêt, le temple et lui-même. Il imagina les trois pierres, superposées : deux danseuses parmi les plus pures qu'il connût. Il fallait maintenant les charger sur les charrettes... Sa pensée ne s'en libérait pas; endormi, il se fût réveillé pour peu qu'on les transportât. Sur la piste préparée, les indigènes, maintenant, poussaient les

trois blocs l'un après l'autre. Il regardait cette possession durement acquise, écoutant le choc amorti des
faces qui, une à une, aplatissaient les tiges des roseaux,
et comptant, à demi conscient, les chocs successifs,
comme un avare de l'argent.

Les indigènes s'arrêtèrent devant l'éboulis de la
porte. Les bœufs, de l'autre côté, ne meuglaient pas,
mais on les entendait gratter la terre du sabot. Perken
fit couper deux troncs d'arbre, entoura de cordes
l'une des pierres sculptées et la fixa au tronc, que
six indigènes placèrent sur leur épaule; ils furent
incapables de la soulever. Claude en remplaça deux,
l'un par le boy, l'autre par lui-même.

— " Levez! "

Les porteurs se redressèrent, tous ensemble cette
fois, lentement, dans un absolu silence.

Une branche craqua, puis plusieurs autres, une à
une; le bruit des craquements s'approcha. Claude
s'était arrêté et regardait la forêt, mais, une fois de
plus, ne distinguait rien. Un habitant curieux du
dernier village ne se fût pas caché... Svay, peut-être?...
Claude fit signe à Perken qui prit sa place sous le
tronc, puis avança vers le lieu d'où les bruits étaient
venus, en sortant son revolver. Les indigènes, qui
avaient entendu le craquement de la gaine, puis, écho
affaibli, le déclic du cran d'arrêt libéré, regardaient
sans comprendre, inquiets. Perken, cessant de soutenir le tronc de ses mains, le laissa peser de tout
son poids sur son épaule et sortit, lui aussi, son revolver. Claude, déjà entré sous les arbres, ne voyait
qu'une ombre plus ou moins dense tachée çà et là
de toiles d'araignées. Vouloir trouver là un indigène,
familier avec la forêt, était folie. Perken n'avançait
pas. A deux mètres au-dessus de la tête de Claude
des branches s'abaissèrent puis se relevèrent d'un
coup, élastiques, libérant des boules grises qui s'abat-

tirent sur d'autres branches auxquelles elles firent
décrire une grande courbe : des singes. Claude, furieux
et délivré à la fois, se retourna, croyant trouver partout des rires; mais aucun indigène ne riait; Perken
non plus. Claude alla vers lui :

"Des singes!

— Pas seuls : les singes ne font pas craquer les
branches. "

Claude remit son revolver dans sa gaine : geste
vain dans le silence retombé, sur toutes les vies unies
en l'étouffante gangrène de la forêt...

Il revint vers le groupe immobile, et reprit sa place
sous le tronc. En quelques minutes l'éboulis fut
franchi. Il fit approcher les charrettes le plus près
possible, si bien que Perken dut ordonner aux conducteurs de reculer pour pouvoir manœuvrer. Attentifs
aux mouvements de leurs petits buffles, ils regardaient
les pierres sculptées, sur lesquelles se croisaient les
cordes, avec une grande indifférence.

Il resta le dernier. Les charrettes couvertes plon-
geaient lentement dans le feuillage, d'un mouvement
saccadé, comme des barques sur la mer. Les essieux,
à chaque tour de roue, grinçaient; un coup étouffé,
à intervalles réguliers... Quelque souche, chaque fois
qu'une charrette passait? A peine regardait-il le trou
qu'avait laissé leur passage dans la verdure, la jonchée
des roseaux dont quelques-uns, mal écrasés, se redres-
saient lentement, et la giclure que faisait toujours, en
s'écrasant sur la cassure du mur, le rayon de soleil
qui avait brillé sur le pied-de-biche. Il sentait chacun
de ses muscles se détendre et la fatigue rejoindre en
lui la chaleur, la somnolence et la fièvre. La forêt,
la force des lianes et des feuilles spongieuses s'affaiblis-
saient pourtant : ces pierres conquises le défendaient
contre elle. Sa pensée n'était plus là : elle était enchaî-
née au mouvement qui poussait en avant les char-

rettes alourdies. Elles s'éloignaient en grinçant, avec
un son nouveau, né de leur charge, vers les montagnes
prochaines. Il secoua sa manche sur laquelle étaient
tombées des fourmis rouges, sauta à cheval et rejoignit
le convoi. Au premier espace libre il dépassa les charrettes, l'une après l'autre : les conducteurs somno-
laient toujours.

III

La nuit, enfin : une étape de plus vers les montagnes, les charrettes dételées, et, sous le toit de la sala[1], comme dans une poche, possédées, les pierres. Un délassement de bain... Claude marchait entre les pilotis qui soutenaient les paillotes. Protégées par un petit toit de chaume, devant de sauvages bouddhas de glaise, des baguettes brûlaient, points roses dans la grande lumière de la lune. Sur le sol, une ombre dépassa ses pieds, s'approcha de la sienne en silence. Il se retourna; le boy qui venait derrière lui s'arrêta, noir et net sur les feuilles de bananiers presque phosphorescentes.

"Missié, Svay parti.

— Sûr?

— Sûr.

— Bon débarras. "

Le boy aux pieds nus disparut, comme s'il se fût confondu avec la lumière imprégnant la clairière. " Il n'est décidément pas sans qualités ", pensa Claude.

De toute évidence, Svay obéissait à des ordres... Combattre un ennemi connu n'était pas pour déplaire à Claude; dans un conflit précis, il retrouvait son acharnement. Il s'étendit dans la sala où Perken dor-

1. L'abri des voyageurs.

mait déjà couché sur le ventre, les mains à demi
ouvertes.

Il ne pouvait calmer la surexcitation que lui causait
sa possession. L'éclat de la lune semblait donner aux
voix des paysans une longue résonance; elles devinrent
de plus en plus rares.

Le murmure d'un conteur, et, quelquefois, une
rumeur venaient encore de la paillote du chef du
village; il cessa lui aussi, et le silence tropical s'établit,
lié à l'air saturé de lune, troublé de loin en loin par un
cri solitaire de coq qui se perdait dans une paix de
planète éteinte.

Au milieu de la nuit, un bruit confus l'éveilla.
Très faible, si faible qu'il s'étonna qu'il eût troublé
son sommeil; comme de ramures traînées au ras du
sol. Son premier regard fut pour les pierres, qu'il
avait fait placer entre le lit de camp de Perken et le
sien. Des pirates n'auraient pas choisi, pour attaquer
un village, le moment où s'y trouvaient des blancs.
Sa fatigue et sa paresse diminuaient à mesure qu'il
s'éveillait. Il fit quelques pas devant la sala, mais ne
vit que le village endormi et son ombre, longue et
bleue... Recouché, il demeura près d'une heure l'oreille
au guet; sous le vent mou de la nuit, l'air palpitait
comme une eau. Plus rien que quelques mugissements,
de plus en plus rares, de bœufs mal éveillés... Enfin,
il se rendormit.

Il trouva en s'éveillant au lever du soleil une des
joies les plus complètes qu'il eût connues. L'acharnement qui depuis des mois le poussait furieusement
vers une action si incertaine était justifié. Il sauta du
plancher à terre, sans emprunter l'échelle, et se dirigea
vers le seau d'eau auprès duquel se tenait le boy rayé
de haut en bas, comme un forçat, par les ombres des
branches.

"Mssié, dit celui-ci à mi-voix, pas moyen trouver charrettes dans village. "

Claude, par un instinct de défense, voulut faire répéter la phrase, mais s'aperçut aussitôt que c'eût été bien inutile :

— Où ça charrettes du village?

— Forêt, sûr. Parties cette nuit.

— Svay?

— Personne autre moyen faire ça. "

Impossible de relayer. Sans charrettes, pas de pierres. Ce bruit de ramures, cette nuit...

— Et nos charrettes, à nous?

— Conducteurs, sûr pas vouloir aller plus loin. Moi moyen demander? "

Claude courut à la sala et éveilla Perken qui sourit en voyant les pierres.

— Svay a filé cette nuit avec les charrettes du village et leurs conducteurs. Donc, impossible de relayer. Et les conducteurs avec lesquels nous sommes venus vont vouloir regagner leur village, naturellement. Mais éveillez-vous donc! "

Perken se plongea la tête dans l'eau; au loin, des singes crièrent.

Il s'épongea et revint vers Claude qui, assis sur un lit, semblait compter sur ses doigts :

"Première solution : aller chercher les types qui ont filé...

— Non.

— Un seau d'eau fait faire de grands progrès à la lucidité! Obliger nos propres conducteurs à continuer.

— Non. Un otage, peut-être...

— C'est-à-dire?

— Garder l'un d'eux à vue et annoncer aux autres qu'il sera fusillé si nous sommes abandonnés.

Xa revenait, avec un visage d'enfant vieillot et

sérieux, deux casques à la main : le soleil, déjà, atteignait leur tête.

"Mssié, moi allé voir : conducteurs à nous partis
aussi.

— Quoi?

— Moi dire eux pas partis parce que moi voir
charrettes. Charrettes à nous pas parties; charrettes
villages seulement parties. Mais conducteurs partis
tous."

Claude marcha vers la paillote derrière laquelle les
charrettes s'étaient rangées hier soir au retour du
temple; elles étaient là, près des petits bœufs attachés.
Svay avait-il craint, en venant les chercher si près de
la sala, de réveiller les blancs?

— Xa? Toi savoir conduire charrette?

— Sûr, Mssié."

Le village était désert. Quelques femmes seulement.
Abandonner les chevaux, conduire chacun une charrette? Il ne s'agissait que de laisser les bœufs suivre
ceux qui les précédaient, conduits, eux, par Xa. Trois
charrettes en tout. C'était peu. Et abandonner les
chevaux... En cas d'attaque, comment se défendre,
d'une charrette? Il fallait toute l'exaltation que lui
imposait la volonté de continuer, d'avancer toujours,
contre la forêt et contre les hommes, pour combattre
l'appauvrissement qui montait de cet abandon et
commençait à rendre sa puissance à la brousse
matinale.

"Xa, cria Perken, où ça guide?

— Lui foutu le camp, Mssié..."

Plus de guide. Traverser les montagnes, trouver le
col, et le trouver seuls; puis dans les derniers villages
aux paysans impaludés au-dessus de qui tourneraient,
le soir, des colonnes de moustiques denses comme les
rayons du soleil, vivre, trouver des conducteurs, continuer enfin...

“ Nous avons la boussole, dit Claude, et Xa. Les chemins sont si rares qu’ils sont sans doute visibles...

— Si vous voulez à toute force finir sous la forme d’un petit tas grouillant d’insectes, le moyen ne me paraît pas mauvais. Mettez votre casque sur votre tête au lieu de le garder à la main, le soleil monte... ”

“ Essayons ”, avait envie de répondre Claude. Mais, malgré sa volonté d’échapper à ce village dont les habitants semblaient avoir fui devant une invasion, à cette clairière cernée de grands troncs que grandissait encore la lumière matinale, il hésitait. Il continuerait d’avancer, de quelque façon que ce fût, cela seul était certain. Comment?

“ — Dans cette région, reprit Perken, bien des hommes connaissent le chemin des montagnes. Je vais aller avec Xa au petit village sans sala, Také, que nous avons vu avant d’arriver ici. Inutile d’espérer des conducteurs. Mais j’amènerai un guide : je ne crois pas que Svay soit passé là. ”

Déjà, le boy préparait les selles.

Les deux silhouettes durement secouées par le trot des petits chevaux s’enfonçaient dans la tranchée de feuilles, comme des mineurs dans la terre; noires, elles apparaissaient soudain en vert, de loin en loin, lorsque quelque rayon de soleil s’écrasait sur la piste... “ S’ils trouvent un guide aussitôt, pensa Claude, s’ils le font courir, ils seront de retour à midi... Oui, *s’ils trouvent un guide...* ” Svay aurait-il fait déserter Také comme il avait fait déserter ce village?

Les échelles avaient été rentrées dans les paillotes. A travers le tremblement de l’air, tout commençait à s’agiter de l’imperceptible transe que déclenche la venue de la grande chaleur... Il alla s’étendre sur son lit de camp, le menton dans les mains. Un guide, jus-qu’aux montagnes?... De tous les côtés de la clairière,

autour du trou de lumière frémissante et des construc-
tions humaines, la forêt s'étendait, immobile et mou-
vante à la fois. A sa surface, la lumière parcourue de
lents frissons se décomposait en moire; elle le pénétrait jusqu'à la stupeur, chacune de ses ondes venant
mourir, tiède et souple, sur sa peau en sueur; il sombra
dans une rêverie voilée de grandes taches de sommeil.

Le pas lointain et précipité des chevaux l'éveilla.
Onze heures. Ce guide courait singulièrement vite...
Il écouta, les sourcils froncés, sans souffle. Le bruit
montait de la terre : les chevaux, dans la profondeur
des feuilles, galopaient... Un homme ne peut pas, après
deux heures de course, suivre des chevaux qui galo-
pent. Pourquoi ce retour si rapide?

Il s'efforça en vain d'entendre un bruit de pas; rien
que le grand silence de la clairière, un bourdonnement
fin d'insectes au ras de terre et, au loin, le son saccadé
des sabots...

Il courut au chemin. Tac, tacatac, tac... les chevaux
approchaient. Enfin, il distingua des ombres, soulevées
et abaissées par le galop : puis, les deux cavaliers traversant une tache de soleil, il les vit nettement, penchés
sur le cou des chevaux, le casque en arrière; personne
ne courait entre eux. Il eut l'impression, non d'un effon-
drement mais d'une décomposition lente, fade, irré-
sistible... Les deux hommes, redevenus des ombres,
traversèrent un autre rayon et furent éclairés de nouveau : Xa de plus en plus penché, deux taches blanches
sur les épaules — des mains — se détachait sur une
forme vague : un homme était en croupe derrière lui.

— Alors?

— Ça se présente mal!

Perken sauta de cheval.

— Svay?

— Il fait bien son métier. Il est allé là-bas, il a réqui-

sitionné ceux qui connaissent les cols pour les emmener
vers le Sud.

— Mais ce type que vous ramenez?

— Il connaît le chemin des villages Moïs.

— Quelles sont les tribus, par là?

— Les Ke-diengs des Stiengs. Il n'y a pas d'autre
solution.

— Que de passer tout de suite en pays dissident?

— Oui. En suivant la Voie, nous avons encore une
partie inconnue, une partie soumise, et une partie
dissidente. Dans la partie soumise, Dieu sait ce que
peut inventer l'administration française!

— Ramèges va devenir furieux dès qu'il va savoir
que nous avons trouvé.

— Donc, il faut abandonner le grand col et passer
en dissidence. Ce guide connaît les sentiers qui mènent
au premier village Stieng, celui où se font les échanges;
de là au Siam, par les petits cols.

— Nous partons vers l'Ouest?

— Oui.

— Donc, vous ne connaissez pas ces Stiengs?

— Mais il faut évidemment choisir la région où se
trouve Grabot. Le guide sait seulement qu'il y a un
blanc par là. Mais il comprend le dialecte Stieng. Au
village, nous changerons de guide — puisqu'il faut
faire officiellement demander le passage aux chefs,
nous verrons bien ce qu'ils répondront... — J'ai encore
deux thermos pleines d'alcool et les verroteries, c'est
plus que ne vaut un passage... Je ne les connais pas,
mais je pense qu'eux savent qui je suis. Si Grabot ne
veut pas que nous allions où il est, il enverra un guide
pour nous faire passer par un détour quelconque...

— Vous êtes sûr qu'ils nous laisseront passer?

— Nous n'avons pas le choix. Puisque de toute
façon nous devons aller chez des insoumis, un peu
plus tôt, un peu plus tard... Le guide dit que ceux-ci

sont des guerriers, mais qu'ils reconnaissent le serment
de l'alcool de riz... "

Le Cambodgien trapu, le nez courbé comme celui
des Bouddhas, venait de quitter le cheval, et, les mains
croisées, attendait. Quelque part, on affilait un coupe-
coupe sur une pierre, pour ouvrir des noix de coco
sans doute. Xa prêta l'oreille. Le bruit cessa : par les
trous des claies, les femmes inquiètes, la prunelle agile,
observaient les blancs.

— Qu'est-il venu faire ici, Grabot?

— De l'érotisme, d'abord (bien que les femmes de
cette région soient beaucoup plus moches que celles
du Laos) : le pouvoir doit se définir pour lui par la
possibilité d'en abuser...

— Intelligent?

Perken se mit à rire mais s'arrêta aussitôt comme si
le son de son rire l'eût surpris.

— Quand on le connaît, la question est comique,
et pourtant... Il n'a jamais réfléchi qu'à lui-même, qu'à
ce qui l'isole plutôt, mais comme d'autres pensent au
jeu ou au pouvoir... Ce n'est pas quelqu'un, mais c'est
sûrement quelque chose. A cause du courage, il est
beaucoup plus séparé du monde que vous ou moi
parce qu'il n'a pas d'espoir, même informe, et que le
goût de l'esprit, aussi affaibli qu'il soit, relie à l'univers.
Il m'a dit un jour, parlant des " autres ", de ceux pour
qui les hommes comme lui n'existent pas, des " soumis " : " On ne les atteint jamais qu'à travers leur
plaisir; il faudrait inventer quelque chose comme la
syphilis. " Il est arrivé aux bataillons plein d'enthou-
siasme à l'égard des bataillonnaires qu'il ne connaissait
pas encore. Sur le bateau, une toile séparait " les nouveaux " des récidivistes et des évadés repris. Une toile
avec deux ou trois trous. Il commence à regarder, et
se retire brusquement : quelque chose arrive comme
un coup : un doigt tendu avec un ongle rongé encore

pointu, fort apte à crever son autre œil... C'eſt un homme réellement *seul*, — et comme tous les hommes seuls, obligé de meubler sa solitude, ce qu'il fait avec le courage... Je voudrais vous expliquer... "

Il réfléchissait.

" Si tout cela eſt exact, pensait Claude, il ne peut vivre que sur quelque chose d'indiscutable, qui lui permette de s'admirer... "

Le bruissement d'ailes des insectes errait à travers le silence. Un cochon noir avança lentement, comme s'il eût pris possession du village muet.

" Voici à peu près ce qu'il me disait : " Te faire casser la gueule, tu t'en fous ou tu ne t'en fous pas. Je joue une belote que les autres ne jouent pas parce que, crever, ça leur fout la trouille. Pas à moi : ça sera très bien; et pas trop tôt, vu qu'il n'y a guère que ça que je sois foutu de bien faire. Et depuis que je me fous de crever, que ça me plaît plutôt, tout peut se faire : si les choses vont mal elles ne peuvent toujours pas aller plus loin que mon revolver... Suffit d'en finir... " Et il eſt réellement très brave. Il se sent peu intelligent, grossier dès qu'il retourne dans les villes; alors, il compense : il eſt dans le courage comme dans une espèce de famille... A risquer sa vie, il trouve le plaisir que nous trouvons tous, mais plus aigu parce que plus nécessaire. Et il eſt capable d'aller plus loin que le risque, il a le goût d'une sorte de grandeur haineuse, rudimentaire, mais tout de même peu commune : je vous ai raconté comment il a perdu son œil... Partir seul, absolument seul dans cette région, cela demande aussi un certain cran... Vous ne connaissez pas la piqûre du scorpion noir? Moi, je connais les mèches : le scorpion eſt plus douloureux, ce n'eſt pas peu dire. Pour avoir éprouvé une violente répulsion nerveuse en en voyant un, il eſt allé se faire piquer exprès. Se refuser sans réserves au monde, c'eſt toujours se faire

souffrir terriblement pour se prouver sa force. Il y a
dans tout cela un immense orgueil primitif, mais à
quoi la vie et pas mal de souffrance ont fini par donner
une forme... Pour aider un copain dans une histoire
absurde, il a failli être boulotté par les fourmis (moins
impressionnant qu'il ne semble d'abord, à cause de sa
théorie du revolver).

— Vous ne croyez pas que l'on puisse toujours se
tuer?

— Il n'est peut-être pas plus difficile de mourir
pour soi-même que de vivre pour soi-même, mais je
me méfie... C'est quand on déchoit qu'il faut se tuer,
mais c'est quand on déchoit qu'on aime de nouveau la
vie... Mais lui le croit, c'est l'important.

— S'il était mort?

Les paillotes étaient de plus en plus closes.

— On aurait vendu des objets européens, le guide
le saurait comme tous ceux qui vont au village du
troc. Je l'ai interrogé: on n'a rien vendu. Officiellement, c'est aux chefs indigènes que nous demanderons
le passage, en tout état de cause... ”

Il regarda autour de lui.

“ Des femmes, rien que des femmes... Un village
de femmes... ça ne vous touche pas, cette atmosphère
où il n'y a rien de masculin, toutes ces femmes, cette
torpeur si... si violemment sexuelle?

— Vous vous exciterez plus loin : d'abord, partir. ”

Le boy réunit les bagages dans une charrette et
attela les bœufs. Les attelages, l'un après l'autre, s'arrêtèrent devant la sala; les pierres furent descendues,
non sans peine, sur le lit pliant de Claude. Enfin les
charrettes se mirent en marche. Le guide conduisait la
première, Xa la seconde. Claude, allongé dans la troisième, laissait aller ses bœufs plus qu'il ne les guidait;
Perken, à cheval, fermait la marche. Le cheval de
Claude que le boy avait mis en liberté, suivait lente-

ment, la tête baissée. Sa docilité éclaira le Danois. " Le plus sage, pensa-t-il, est de ne pas l'abandonner. " Et il l'attacha par la bride à la dernière charrette, devant lui. Au moment où la courbe du chemin allait faire disparaître le village, il se retourna : quelques claies étaient tombées et des visages de femmes les regardaient, perplexes et curieux.

TROISIÈME PARTIE

I

Cette dissidence à demi sauvage était aussi douteuse, aussi menaçante que la forêt. Au village du troc, plus pourri que les temples, les derniers Cambodgiens, terrorisés, éludaient toutes les questions sur les villages, sur les chefs, sur Grabot... (Il semblait pourtant qu'ils eussent entendu parler de Perken.) Plus rien de la nonchalance voluptueuse du Laos et du Bas-Cambodge : la sauvagerie avec son odeur de viande. Enfin, contre les deux bouteilles d'alcool européen, les messagers annoncèrent que le passage et un guide étaient accordés. Restait à savoir par qui; mais, depuis qu'ils montaient vers le centre stieng, une plus grave inquiétude pesait sur eux. Perken venait d'arrêter Claude, d'un coup de poing sur le bras.

— Regardez à vos pieds. Sans bouger.

A cinq centimètres de son pied droit, deux morceaux de bambou extrêmement affilés sortaient, en pointes de fourche.

Perken tendit un doigt.

— Quoi encore?

Il sifflait entre ses dents, sans répondre; il lança en avant sa cigarette. Après une courbe très rouge dans l'air verdâtre épaissi par la fin du jour, elle atteignit l'humus : à côté, deux nouvelles pointes.

" Qu'est-ce que c'est que ces trucs-là?

— Les lancettes de guerre.

Claude regardait le Moï qui les attendait, — ils
avaient changé de guide au village — appuyé sur son
arbalète.

— Il n'aurait pas dû nous prévenir, celui-là?

— Ça va mal... "

Ils reprirent leur marche, traînant les pieds au ras
du sol, derrière la tache jaunâtre du guide dont Claude
ne voyait plus que le pagne d'une saleté sanglante :
ni tout à fait animal, ni tout à fait humain. Chaque
fois que le pied, au lieu de racler le sol, devait se
lever — souches, troncs — les muscles de la jambe
se contractaient, dans la crainte d'un pas trop rapide;
relié au danger par eux, Claude tombait à une vie
d'aveugle. A ses yeux presque inutiles, quelque effort
qu'il fît, se substituait son odorat que frappaient
des bouffées d'air chaud imprégnées d'humus, angois-
santes : comment voir les lancettes, si les feuilles
pourries envahissaient le sentier? Dépendance d'esclave, jambes liées... Il se défendait contre cette marche
prudente, mais ses mollets contractés étaient plus
forts que son esprit.

— Et nos bœufs, Perken? S'il en tombe un...

— Pas grand danger : ils sentent les pointes beaucoup mieux que nous. "

Monter dans les charrettes, qui suivaient sous la
seule direction de Xa? C'eût été par trop se priver de
défense en cas d'attaque...

Ils traversèrent le lit à nu d'une rivière, reposant
comme une halte avec ses cailloux qui ne pouvaient
rien dissimuler : à quelques mètres, trois Moïs debout
sur le talus d'argile, l'un au-dessus de l'autre, les
regardaient, fixés dans une immobilité inhumaine
comme si elle ne fût pas venue d'eux-mêmes, mais
du silence.

" Si ça tourne mal, nous aurons aussi des ennemis dans le dos. "

Les trois sauvages les suivaient du regard, toujours immobiles : un seul portrait une arbalète. La sente était devenue moins obscure, les arbres plus clair-semés : il fallait toujours marcher avec soin, mais l'obsession s'affaiblissait.

Enfin la lumière des clairières parut au bout de la sente.

Le guide s'arrêta devant de minces lianes de rotin tendues à hauteur du cou, et les détacha. Leurs petites épines brillaient dans le soleil et s'y perdaient; Claude ne les avait pas vues. " Filer d'ici, si ça va mal, ne sera pas très facile ", pensa-t-il.

Le Moï replaçait avec soin les scies.

A travers la clairière, aucun sentier. Pourtant un au moins en partait : celui qu'ils avaient suivi, et qui continuait au-delà. Malgré son calme, cette clairière où ils devaient dormir vivait d'une vie de piège; une moitié envahie déjà par l'ombre, l'autre éclairée par la lumière très jaune qui précède le soir. Pas de palmes; l'Asie n'était présente que par la chaleur, les dimensions colossales de quelques arbres aux troncs rouges et la densité du silence, à quoi le crisse-ment des myriades d'insectes et, parfois, le cri soli-taire d'un oiseau qui s'abattait sur l'une des plus hautes branches, donnaient une étendue solennelle. Il se refermait sur ces cris perdus comme une eau dormante; là-haut, la branche se balançait lentement, presque noyée dans la confusion du soir, tandis qu'au-delà de toute cette végétation sans pistes ni traces qui dévalait vers des profondeurs cachées par la brume, des montagnes se détachaient sur le ciel déjà mort. Comme les tarets dans les arbres géants, les Moïs combattaient ici avec des objets fins et meurtriers; dans ce recueillement, leur vie souterraine et leur

inexplicable prudence devenaient plus menaçantes :
pour trois hommes sans escorte, conduits par un
guide librement envoyé, il n'était pas besoin de lancettes et de rotins; pourquoi protéger ainsi cette
clairière? "Grabot ne veut-il rien négliger pour assurer sa liberté? " pensa Claude; comme si la rareté de
la pensée en ce lieu l'eût rendue immédiatement
communicable, Perken devina la question :

— Je suis persuadé qu'il n'est pas seul...

— C'est-à-dire?

— Pas seul *chef*. Ou alors, il aurait été tellement
pris par la sauvagerie...

Il hésita. Le mot sembla s'étendre à travers la
solennité végétale, justifié presque aussitôt par le guide
accroupi qui grattait, à son genou, la plaque blanche
d'une maladie de peau.

" ... qu'il serait tout à fait transformé... "

Encore l'inconnu. L'expédition les jetait sur cet
homme comme sur la ligne invisible de la Voie Royale.
Lui aussi les séparait de leur destin. Il leur avait pourtant accordé le passage...

Les photos rapportées de Bangkok par Perken
vivaient en Claude avec l'autorité de la hantise : un
costaud jovial, borgne, promenant à travers la brousse
et les bars chinois du Siam son casque en arrière et
son gros rire, bouche ouverte et sourcils levés. Il
connaissait ces visages où l'expression de l'enfant
reparaît sous la brutalité de l'homme, dans le rire,
dans les yeux ronds de l'étonnement, dans les gestes :
casque enfoncé d'une grande tape, jusqu'aux oreilles,
sur la tête d'un copain ou sur celle d'un ennemi...
Que restait-il, ici, de l'homme des villes? "A moins
qu'il n'ait été pris par la sauvagerie... "

Claude chercha le guide : il chantait une mélopée
qu'écoutait Xa, près des bœufs immobiles; les feux
allumés pour la nuit crépitaient à petits coups, non

loin des lits dressés sous les moustiquaires (pas de tente à cause de la chaleur).

— Retire les moustiquaires, dit Perken.

" C'est bien assez que ce sacré feu nous mette en pleine lumière. Essayons au moins de voir ceux qui nous attaqueraient! "

La clairière était vaste, et toute attaque eût dû traverser d'abord un terrain découvert.

" S'il y a quelque chose, celui qui veille descend le guide, et nous filons derrière ce buisson de droite, pour échapper à la lumière... "

— Même vainqueurs, sans guide...

Tout ce qui pesait sur eux semblait réuni sous la main de Grabot, comme un verrou.

— Que pensez-vous qu'il fasse, Perken?

— Grabot?

— Naturellement!

— Si près de lui, de ce que nous attendons de lui, je me méfie de mes prévisions... "

Le feu crépitait toujours; la flamme, au contraire, montait droite et claire, presque rose, n'éclairant que les volutes saccadées de sa fumée, dessinant des reflets dans la masse du feuillage qui ne se distinguait plus qu'à peine du ciel. En face de l'enjeu qu'il avait engagé, il ne connaissait pas cet homme.

— Malgré les fléchettes, vous croyez qu'il va nous laisser passer?

— S'il est seul, oui.

— Et vous êtes sûr qu'il ne connaît pas l'importance de ces pierres?

Perken haussa les épaules :

— Inculte. Moi-même...

— S'il n'est pas seul, son compagnon?

— Ce n'est certainement pas un blanc. Et le loyalisme est fort, parmi ceux qui osent monter par ici. Je lui ai rendu des services, à Grabot... "

Il réfléchit, regardant les herbes du sol :

" Je voudrais savoir contre quoi il se défend... c'est avec ses vieux rêves, avec sa déchéance que l'on chauffe ses passions...

— Reste à savoir lesquelles.

— Je vous ai parlé d'un homme qui se faisait attacher, nu, par des femmes, à Bangkok... C'était lui. Ce n'est pas tellement plus absurde que de prétendre coucher et vivre — et vivre — avec une autre créature humaine... Mais lui en est atrocement humilié...

— De ce qu'on le sache?

— On ne le sait pas. De le faire. Alors, *il compense*. C'est sans doute pour cela surtout qu'il est venu ici... Le courage compense... Et pour que les petites hontes ne pèsent pas lourd, il suffit même de ceci...

Comme si la faible ampleur des gestes humains eût été inconciliable avec cette immensité, il désignait du menton la clairière et la fuite des monts dans l'ombre. Du mur d'arbres aux lointains qui se confondaient avec la nuit, du ciel où apparaissaient les étoiles plus claires que le feu à la grande forêt primitive, la force lente et démesurée de la chute du jour accablait Claude de solitude, rendait à sa vie son caractère traqué. Elle le submergeait comme une invincible indifférence, comme la certitude de la mort.

— Je comprends qu'il se fiche de la mort...

— Ce n'est pas d'elle qu'il n'a pas peur, c'est d'être tué : la mort, il l'ignore. Ne pas craindre de recevoir une balle dans la tête, la belle affaire!

Et, plus bas :

"Dans le ventre, c'est déjà plus inquiétant... Ça dure... Vous savez aussi bien que moi que la vie n'a aucun sens : à vivre seul on n'échappe guère à la préoccupation de son destin... La mort est là, com-

prenez-vous, comme... comme l'irréfutable preuve de
l'absurdité de la vie...

— Pour chacun.

— Pour personne! Elle n'existe pour personne.
Bien peu pourraient vivre... Tous pensent au fait de...
ah! comment vous faire comprendre?... d'être tué,
voilà. Ce qui n'a aucune importance. La mort c'est
autre chose : c'est le contraire. Vous êtes trop jeune.
Je l'ai comprise d'abord en voyant vieillir une femme
que... enfin une femme. (Je vous ai parlé de Sarah,
d'ailleurs...) Ensuite, comme si cet avertissement ne
suffisait pas, quand je me suis trouvé impuissant pour
la première fois...

Paroles arrachées, n'arrivant à la surface qu'en
rompant mille racines tenaces. Il continuait :

"*Jamais devant un mort*... Vieillir, voilà, vieillir.
Surtout lorsqu'on est séparé des autres. La déchéance.
Ce qui pèse sur moi c'est, — comment dire? ma
condition d'homme : que je vieillisse, que cette chose
atroce : le temps, se développe en moi comme un
cancer, irrévocablement... Le temps, voilà.

"Toutes ces saletés d'insectes vont vers notre
photophore, soumis à la lumière. Ces termites vivent
dans leur termitière, soumis à leur termitière. Je ne
veux pas être soumis."

La forêt avait trouvé dans le vaste mouvement
du soir son intime correspondance; la vie sauvage
de la terre montait avec la nuit. Claude ne pouvait
plus interroger : les mots qui se formaient en son
esprit passaient au-dessus de Perken comme d'une
rivière souterraine. Séparé, par toute la forêt, de ceux
pour qui existent raison et vérités, cet homme, en
face de lui, cherchait-il une assistance humaine contre
ses fantômes serrés près de lui dans l'obscurité? Il
venait de tirer son revolver : une faible lueur glissa
sur le canon.

" Toute ma vie dépend de ce que je pense du geste
d'appuyer sur cette gâchette au moment où je suce ce
canon. Il s'agit de savoir si je pense : je me détruis, ou :
j'agis. La vie est une matière, il s'agit de savoir ce
qu'on en fait — bien qu'on n'en fasse jamais rien, mais
il y a plusieurs manières de n'en rien faire... Pour vivre
d'une certaine façon, il faut en finir avec ses menaces, la
déchéance et les autres : le revolver est alors une bonne
garantie, car il est facile de se tuer lorsque la mort est
un moyen... C'est là qu'est la force de Grabot... "

La nuit tout à fait venue plongeait jusqu'aux plus
lointaines terres de l'Asie, rétablie avec le silence sur
les solitudes. Au-dessus du petit bruit des feux, les
voix des deux indigènes montaient, claires et mono-
tones mais sans portée, prisonnières; tout près d'eux,
un solide réveille-matin battait avec précision le silence
sans fin de la brousse. Plus que les feux, plus que les
voix, ce tic-tac rattachait Claude à la vie des hommes,
par sa constance, par sa netteté, par ce qu'a d'invincible
tout objet mécanique. Sa pensée émergeait, mais
nourrie des profondeurs dont elle s'échappait, dominée
encore par la puissance du surnaturel qui montait de
la nuit et de la terre brûlée, comme si tout, jusqu'à la
terre, se fût imposé de le convaincre de la misère
humaine.

— Et l'*autre* mort, celle qui est en nous?

— Exister contre tout cela (Perken montrait du
regard la menaçante majesté de la nuit), vous comprenez ce que cela veut dire? Exister contre la mort,
c'est la même chose. Il me semble parfois que je me
joue moi-même sur cette heure-là. Et peut-être que
tout va se régler bientôt, par une flèche plus ou moins
dégoûtante...

— On ne choisit pas sa mort...

— Mais d'accepter même de perdre ma mort m'a
fait choisir ma vie. "

La ligne rouge qui suivait l'épaule bougea : sans doute avait-il avancé la main. Geste infime, comme cette petite tache humaine aux pieds perdus dans l'ombre, avec sa voix saccadée dans l'immensité pleine d'étoiles. Cette voix seule, entre le ciel éblouissant et la mort et les ténèbres, venait d'un homme, mais avec quelque chose de si inhumain que Claude se sentait séparé d'elle comme par une folie commençante.

— Vous voulez mourir avec une conscience intense de la mort, sans... faiblir?...

— J'ai failli mourir : vous ne connaissez pas l'exaltation qui sort de l'absurdité de la vie, lorsqu'on est en face d'elle comme d'une femme dé...

Il fit le geste d'arracher.

— déshabillée. Nue, tout à coup...

Claude ne pouvait plus détacher son regard des étoiles :

— Nous manquons presque tous notre mort...

— Je passe ma vie à la voir. Et ce que vous voulez dire — parce que, vous aussi, vous avez peur — est vrai : il se peut que je sois moins fort que la mienne. Tant pis! Il y a aussi quelque chose de... satisfaisant dans l'écrasement de la vie...

— Vous n'avez jamais songé réellement à vous tuer?

— Ce n'est pas pour mourir que je pense à ma mort, c'est pour vivre. "

Cette tension de la voix n'était celle d'aucune autre passion : une joie poignante, sans espoir, comme une épave tirée de profondeurs aussi lointaines que celle de l'obscurité.

II

Encore des heures de marche, depuis le réveil, entre
les fléchettes de guerre devenues moins nombreuses
et les sangsues; de temps à autre, le grand cri des
singes se répercutait en cascade jusqu'au fond de la
vallée, coupé par le choc assourdi des roues des charrettes contre les souches.

Ils commençaient à voir le village stieng, au bout
de la sente, comme dans un rond trouble de jumelles.
Il avait envahi sa clairière. Claude regardait ses remparts de bois comme une arme inconnue : ces poutres
dressées en barrière, et qui cachaient la forêt (ils étaient
maintenant tout près) témoignaient avec violence
d'une force que suggéraient jusqu'à l'angoisse les seuls
objets surgis au-dessus du rempart : un tombeau orné
de fétiches en plumes, et un énorme crâne de gaur[1].
La lumière de la grande chaleur luisait en moire sur
les cornes, comme si la forêt disparue derrière la haute
barricade n'eût laissé à sa place que ces objets insolites
encastrés dans le ciel libéré des feuilles. Le guide
déplaça encore quelques lianes de rotin et les retendit
derrière les charrettes.

Le portail était entrouvert; ils entrèrent. Le Moï
qui le gardait le referma derrière eux de la crosse de
son fusil : "Voilà qui vient de Grabot, enfin!" dit

1. Auroch de l'Asie méridionale.

Claude. " Le levier du fusil n'est pas abaissé ", pensa Perken; mais le son de bois du portail refermé le poussa en avant.

A droite des huttes trapues disposées presque au hasard, enfoncées à demi dans le sol comme les bêtes de la forêt; des petits chiens abandonnés sur un monceau de détritus jappaient; hommes et femmes regardaient, les yeux au bord des claies, à l'affût.

Le guide les dirigeait vers une case plus haute que les autres, dressée au centre d'un espace vide auprès de la perche qui supportait le gaur; elle pesait sur cette solitude pleine d'hommes, autant que les vastes cornes pointées vers le ciel comme des bras dressés. Maison commune ou maison de chef : Grabot, peut-être, sous ce toit de palmes, sous ces cornes... Il les avait protégés jusqu'ici, puisqu'ils étaient vivants. A la suite du guide, ils grimpèrent à l'échelle, entrèrent et s'accroupirent.

Ils ne distinguaient rien encore, mais ils sentaient qu'aucun blanc n'était là. Perken se releva, s'accroupit un peu plus loin, se tournant d'un quart, comme par déférence. Claude l'imita : devant eux maintenant — derrière eux tout à l'heure — au fond de la case, une dizaine de guerriers se tenaient debout, armés de la courte arme des Stiengs, mi-sabre, mi coupe-coupe. L'un d'eux se grattait, et Perken, avant de le voir, avait entendu le crissement des ongles.

" Libérez votre cran d'arrêt ", dit-il très rapidement, à voix basse.

Il ne pouvait être question du Colt que Claude portait à sa ceinture; il entendit un déclic très léger, et vit Perken tirer de sa poche quelques-unes de ses verroteries. Il leva aussitôt, au fond de sa poche, le cran de son petit browning — lentement, pour qu'on l'entendît le moins possible — et sortit des perles bleues. Déjà Perken avait étendu la main, et les transmettait, jointes aux siennes, avec des phrases en siamois que traduisait le guide.

"Regardez, Claude, au-dessus du vieux qui doit être le chef."

Une tache claire dans l'ombre : une veste blanche d'Européen. "Grabot doit être par là." Le vieux chef souriait, les lèvres distendues sur les gencives; il leva deux doigts. "On va apporter la jarre[1]", dit Perken.

Le soleil pénétrait en triangle dans la hutte; il coupait le vieillard de l'épaule à la hanche, sa tête d'eunuque laissée dans l'obscurité, la saillie des clavicules et des côtes très accusée. Son regard allait des blancs à l'ombre du crâne projetée devant lui, les cornes emmêlées par la perspective, mais d'une netteté de coupures. Elle se mit à trembler comme si un soudain bruit de choc, qui arrivait, l'eût secouée : une jarre apparut au-dessus de l'échelle, un roseau dans son col, deux mains aux doigts allongés — respectueux — sur les côtés, comme des anses. Posée sur ces deux poignets verticaux elle semblait offerte à l'ombre encore frémissante, comme pour l'apaiser. Encore de légers chocs : le porteur, qui sans doute avait heurté la perche au passage, cherchait les échelons. Il sortit enfin de terre, couvert des haillons bleus des Cambodgiens (le chef Moï même n'était vêtu que du pagne), lent et droit, et abaissa la jarre devant lui jusqu'au sol, avec une mystérieuse prudence. Xa venait de crisper ses doigts sur le genou de Claude.

"Qu'est-ce qui te prend?"

Le boy posait une question en cambodgien : le porteur de jarre se tourna vers lui, et aussitôt, avec violence, du côté du chef.

Les ongles serraient la chair.

---

1. Pour le serment de loyalisme : boire à la même jarre. Les jarres sont, par ailleurs, les objets les plus précieux des villages Stiengs.

" — Lui... lui... "

Claude comprit soudain que l'homme était aveugle; mais il y avait autre chose.

" Kmer-Mieng! " cria Xa à Perken.

— Esclave cambodgien. "

L'homme replongeait vers le village, coupé par le plancher de la casse; Claude attendit un nouveau choc, comme s'il eût dû, en s'en allant, heurter à nouveau la perche. Mais l'attente de tous ces hommes inquiets, le silence même semblaient suspendus à la main du chef levée solennellement sur la jarre. Il l'abaissa et aspira l'alcool par le chalumeau de roseau, les yeux fermés. Il passa le chalumeau à Perken, puis à Claude, qui le prit sans dégoût : l'inquiétude était trop forte. Le regard mobile de Perken qui tentait de voir ce qui se passait au-dehors, l'accentuait :

" L'absence de Grabot m'embête terriblement. Nous nous engageons, et il ne s'engage pas, à l'égard des Moïs. J'ai confiance en lui, mais quand même...

— Mais eux... s'engagent... ou non?

— Aucun n'oserait trahir l'alcool de riz. Mais si lui ne s'est pas engagé à leurs yeux, Dieu sait!... "

Il parla siamois, le guide traduisit; le chef répondit une seule phrase.

Cette réponse avait intéressé singulièrement les hommes du fond, toujours immobiles, sauf lorsqu'ils se grattaient : Claude les distinguait enfin, l'œil attiré par les traces blanches des maladies de peau sur leur corps. Tous, maintenant, regardaient attentivement.

" Il dit qu'il n'y a pas de chef blanc ", traduisit Perken.

Son regard rencontra de nouveau la veste.

" Je suis sûr qu'il est là!... "

Claude se souvenait du fusil et regardait, lui aussi, la veste. Ses ombres semblaient doubles : d'un côté l'ombre véritable, de l'autre la poussière.

" La veste n'a pas été mise depuis longtemps ", dit-il
à mi-voix, comme s'il eût craint d'être compris.

Peut-être la poussière s'amoncelait-elle très rapidement? Pourtant, le plancher était propre; les chande-
liers-fétiches aussi. Il était peu probable que Grabot se
vêtît ici comme à Bangkok; mais la phrase que Perken
avait dite dans la clairière retomba sur Claude, comme
si elle eût été depuis quelques minutes suspendue dans
cette case : " A moins qu'il n'ait été pris par la sauvagerie... " Pourquoi se cachait-il, substituant à sa présence l'attention de ces hommes, lourde comme celle
des animaux?

Perken, de nouveau, parlait au chef. La conversation fut très courte.

" Il dit qu'il est d'accord, ce qui ne signifie absolument rien. Réellement, je me méfie... Par prudence,
j'ai dit que nous repasserions par ici, et lui apporte-
rions des gongs et des jarres, en plus des thermos
d'alcool que je vais lui donner : il aurait de meilleures
raisons de nous assassiner à notre retour... Il ne me
croit pas... Il y a quelque chose qui cloche. Il faut
absolument mettre la main sur Grabot! En face, il
n'oserait pas... "

Il se levait : les pourparlers étaient terminés. Il
atteignit l'échelle, contournant l'ombre du crâne
comme s'il en eût craint le contact. Le guide les
conduisit à une case vide.

Le village revenait peu à peu à la vie : des claies
étaient abaissées; des hommes aux pagnes ou aux
haillons bleus — les esclaves — s'affairaient autour
de la case qu'ils venaient de quitter, avec une agitation
retenue d'aveugles. Perken avançait, mais son regard
restait fixé sur eux. L'un commençait à traverser
l'espace vide où eux-mêmes s'étaient engagés; leurs
routes pouvaient se croiser. Perken s'arrêta, prit son
pied dans sa main comme si quelque épine l'eût

blessé; il le regardait de près; pour assurer son équilibre, il s'appuya sur Xa.

"Quand nous allons rencontrer celui-là, demande-
lui quelle est la case du blanc. *Quelle est la case du blanc.*
Pas d'autre mot. Compris?"

Le boy ne répondait pas; l'esclave les avait presque
rejoints : pas le temps d'expliquer une seconde fois.
Il était à portée des voix... Manqué? Non : presque
poitrine contre poitrine, le boy parlait. Le visage de
l'autre était tourné vers le sol : il répondait à voix
basse lui aussi. "Croit-il répondre à un autre esclave?"
Perken voulut se rapprocher de Xa, le faire traduire
en hâte, le toucher, et faillit tomber de son long : il
avait oublié qu'il tenait encore son pied. Le boy
avait vu le mouvement maladroit, et bien qu'il se
fût un peu éloigné, tendit les bras. Perken lui agrippa
le poignet. "Alors?" Xa le regardait avec le regard
inquiet et résigné des indigènes habitués aux folies
des blancs, stupéfait de son âpreté, de sa voix assourdie
comme si quelqu'un eût pu les entendre et les comprendre, sur cette place de terre battue que tachaient
seulement l'esclave qui avait repris sa marche et un
chien qui filait vers l'ombre.

— Près des bananiers."

Pas d'équivoque : il n'y avait dans la clairière qu'une
seule touffe de bananiers, à demi sauvages; près d'eux,
une grande case. Claude revenait sur ses pas, intrigué,
devinant vaguement ce qui se passait.

— L'esclave dit qu'il est dans cette case.

— Grabot? Quelle case?"

Par prudence, Perken l'indiquait du doigt, la main
contre la hanche.

"Nous y allons?

— Un instant : dételons nos bœufs. Ensuite nous
aurons l'air de tomber là-bas par hasard... enfin, selon
le plus de hasard possible..."

Ils rejoignirent le guide. Devant la case qui leur était assignée, Xa commença à dételer.

"Ça suffit, Perken. Maintenant, filons!

— Si vous voulez."

Malgré leurs détours, la case aux bananiers les attirait avec violence. Qu'ils perdissent leur temps en discussions ou non, ils étaient à la merci de Grabot. S'ils devaient s'entendre, le plus tôt serait le mieux.

"Si ça tourne mal? demanda Claude.

— Je le descends. C'est notre seule chance. En forêt dans sa région, nous sommes foutus... "

Grabot connaissait à coup sûr les revolvers dont on se sert à travers le pantalon... Ils étaient arrivés. Une case sans fenêtre, fermée par une porte rudimentaire, non par une claie. Un loquet poussé *de l'extérieur.* "Il y a sans doute une autre ouverture?" Un chien commença à hurler derrière la case. "S'il continue à gueuler ainsi, pensa Perken, ils vont tous arriver." Il poussa le loquet et tira la porte à lui en hésitant, de crainte qu'elle ne fût fermée aussi de l'intérieur; elle vint, aussi lente qu'il était inquiet, à cause du jeu du bois pendant les grandes pluies.

Une clochette tintait. Tombant du toit, une barre de soleil oblique, aux atomes serrés, d'un bleu foncé; des masses d'ombre tournaient autour comme autour d'un essieu, se montant et descendant. La plus haute précisa : une traverse horizontale qui de profil devint nette. Quelque chose, au bout, la tirait. Elle pivotait autour d'un grand baquet, d'une cuve... Elle tournait verseux, perdant sa forme à mesure qu'elle s'éloignait de la projection éblouissante de l'ouverture plaquée sur la poussière du sol autour de leurs silhouettes enchevêtrées, aux longs troncs et aux courtes jambes. Et toute la machine apparut enfin dans le rectangle de soleil qui tombait de la porte : une meule. Le tintement s'arrêta.

Perken avait reculé pour mieux voir en gagnant l'ombre, et Claude le suivait de côté, en crabe, incapable à la fois de rester où il était et de détourner son regard, pour marcher, de la lumière qui pénétrait dans la case comme un bloc de pierre. Mais Perken reculait toujours. Recul terrifié : Claude devinait la crispation de ses doigts qui cherchaient à s'accrocher, la stupeur d'un homme qui chavirait : il ne disait rien, ne bougeait plus.

Attaché à la meule, il y avait un esclave. De la barbe sur le visage. Un blanc?

Couvrant le hurlement du chien, Perken cria une phrase, si vite que Claude ne la comprit pas; il recommença aussitôt, haletant :

— Qu'est-ce qu'il est arrivé?

L'esclave se rejeta en avant, dans l'obscurité, avec un frémissement aux épaules. La clochette sonna encore, un seul coup, comme un timbre; mais l'homme s'arrêta.

"Grabot?" gueula Perken.

L'épouvante et l'interrogation de la voix s'écrasaient sur le visage tourné vers eux. Claude cherchait les yeux, mais ne distinguait que la barbe et le nez. L'homme tendit la main ouverte, les doigts écartés, cherchant à prendre quelque chose; il la laissa retomber contre sa cuisse avec un bruit de chair. Il était attaché par des courroies de cuir. "Aveugle?" se demandait Claude incapable de prononcer le mot, d'interroger Perken.

Ce visage de souillures était tourné vers eux, cependant. Vers eux, ou vers la lumière? Claude ne trouvait pas ce regard qu'il cherchait, mais Perken avait dit que Grabot était borgne, et l'homme se tenait de trois quarts, non de face, — vers la porte.

— Grabot!...

Espoir de ne pas avoir de réponse, et pourtant...

L'homme dit quelques mots, d'une voix au timbre faux.

— Was? cria Perken, suffoquant.

— Mais il n'a pas parlé allemand!

— Non, Moï : c'est moi qui... Quoi? Quoi?! "

L'esclave tenta d'avancer vers eux, mais les courroies le fixaient à l'extrémité de la traverse, et chaque mouvement le poussait dans l'orbe de la meule, à droite ou à gauche.

"Fais le tour, bon dieu! "

Aussitôt, les deux blancs sentirent que ce qu'ils redoutaient le plus était l'approche de cet être. Ni répulsion, ni crainte : une terreur sacrée, l'horreur de l'inhumain que Claude avait connue devant le bûcher. Mais, comme tout à l'heure, il avança de deux pas (encore la clochette), s'arrêta de nouveau.

— Il a pourtant compris ", murmura Claude.

Il avait compris cette phrase aussi, malgré le ton très bas.

— Qu'est-ce que vous êtes? " dit-il enfin en français, de sa voix sans accord.

Un désespoir de muet étreignit Claude, pressé par le multiple sens de la question : répondre des noms, Français, blancs, ou quoi?

— "Bande de vaches! " bégaya Perken. L'interrogation qu'il avait mise jusque-là dans tous ses mots, même dans l'ordre de faire le tour, était partie de sa voix pleine de haine. Il s'approcha et dit son nom; Claude voyait distinctement les deux paupières tendues, collées sur un os absent. Toucher cet homme pour que quelque chose, enfin, le reliât à lui! Comment extraire une pensée de ce visage effacé sous ces paupières aux rides verticales, sous cette saleté terrible? Perken avait crispé ses mains aux épaules de l'autre.

"Quoi? Quoi? "

L'homme ne tournait pas son visage vers Perken,

si près de lui, mais vers la lumière. Ses joues se contractèrent : il allait encore parler. Claude guettait
cette voix, terrifié par ce qu'il attendait d'elle. Enfin :
— " ... Rien... "

L'homme n'était pas fou. Il avait traîné ce mot,
comme s'il cherchait encore; mais ce n'était pas un
homme qui ne se souvenait pas, ni qui ne voulait pas
répondre : c'était un homme qui disait *sa vérité*. Et
pourtant (Claude ne pouvait ne pas se souvenir de :
" Suffit d'en finir ") c'était un mort. Il fallait ramener
quelque chose dans ce cadavre, comme dans un noyé
qu'on masse...

La porte se referma en claquant. Coupées par ce
rayon de cachot, les ténèbres retombèrent sur eux.
Claude n'était que question : les Moïs — les mêmes
Moïs — étaient là, autour de lui. Il prit conscience
de cette obscurité de prison, se jeta sur la porte qu'il
ouvrit d'un coup, se retourna : comme à leur arrivée,
l'homme frappé par le jour avait fait un pas en avant
avec sa clochette, avec sa secousse de bête terrorisée :
son réflexe était lié à la lumière et la voix mêlées.
Perken prit le bâton, tombé dans le rectangle de
soleil après le geste de Claude : c'était un caveçon,
une branche terminée par une pointe de bambou
semblable aux lancettes de guerre. Son regard chercha
aussitôt les épaules de l'homme; mais il était tourné
vers eux. Il sortit son couteau, coupa les sangles :
la lame pénétrait mal dans les nœuds grossiers, bos-
selés mais habiles, et il coupait le plus loin possible
des bras. Il fut obligé de se rapprocher, de couper le
trait. L'autre, libéré, ne bougeait pas.

— Tu peux avancer!

Il partit en avant, le long du mur, suivant son
ancien chemin, tirant des reins; il faillit tomber.
Perken, sans savoir pourquoi, le fit tourner d'un
quart, le poussa vers la porte. Il s'arrêta encore :

il découvrait la liberté dans ses épaules. Il étendit
aussitôt la main en avant : son premier geste clair
d'aveugle. Perken reposa sa main, trop libre depuis
qu'il avait fini de couper, sur la traverse; elle rencontra l'intolérable clochette. Il trancha son attache et
la jeta à travers la porte, à la volée. A son tintement
sur le sol, l'homme ouvrit la bouche, de stupéfaction
sans doute : mais le regard de Perken avait suivi le
son : à quelques mètres dehors, des Moïs tentaient de
voir l'intérieur de la case. Nombreux : au-dessus des
corps penchés, plusieurs rangs de têtes.

— D'abord, sortir d'ici! dit Claude.

— Faites les premiers pas les yeux fermés! Sinon,
vous allez hésiter à cause du passage à la grande
lumière et ils sont fichus de vous tomber dessus. "

Fermer les yeux, en cet instant? il eut l'impression
qu'il ne les eût plus jamais rouverts. Il se jeta en avant
en regardant le sol, toute sa force tendue pour ne pas
s'arrêter. La ligne des Moïs recula : un seul était resté.
" Le maître de l'esclave ", pensa Perken. Il alla vers
lui :

— " Phya ", dit-il. Le Moï balança ses épaules,
puis s'écarta.

— Qu'avez-vous dit?

— Phya, chef, c'est le mot qu'employait toujours
l'interprète. Peut-être reculer pour mieux sauter... Et
l'autre, bon sang! "

L'aveugle était au seuil de la case, plus terrible
dans la lumière du jour : il ne les avait pas suivis.
Perken revint et le prit sous le bras.

" A notre case. "

Les Moïs les suivaient.

III

Dans la case du chef, personne; au mur, dans l'ombre, la veste blanche. Les Moïs les entouraient en demi-cercle, à quelque distance; Perken reconnut le guide.

— Où est le chef?

Le Moï hésitait à répondre, comme si les hostilités eussent été déjà ouvertes. Il se décida pourtant.

— Parti. Reviendra ce soir.

— C'est faux? demanda Claude à Perken.

— Filons à notre case, d'abord! "

Chacun prit Grabot sous un bras.

" Non, je ne crois pas que ce soit faux : mes questions relatives au chef blanc l'ont inquiété... En un tel moment, il ne peut être parti que par prudence, pour appeler à l'aide, éventuellement, les villages voisins...

— En somme, c'est un guet-apens?

— Les choses se compliquent d'elles-mêmes... "

Ils se parlaient à travers le profil mort de Grabot.

— Le plus sage ne serait-il pas de partir avant son retour?

— La forêt est pire qu'eux... "

Partir aussitôt : abandonner les vivres et les pierres... Sans guide, la mort était certaine.

Ils avaient atteint leur case.

Xa les regardait avec épouvante, mais presque sans étonnement.

" Attelons-nous ? " demanda Claude.

Perken regarda la hauteur du rempart de bois, et haussa les épaules.

— Ils se réunissent...

Les Moïs ne les suivaient plus. Déjà d'autres les rejoignaient, armés. Et une fois de plus, comme si rien n'eût pu vaincre les formes de la forêt refoulée, Claude entra dans le monde des insectes : des cases plantées au hasard, silencieuses et apparemment abandonnées tout à l'heure, les Moïs sortaient sans qu'il vît par où, se coulaient dans le sentier avec leurs gestes précis de guêpes, avec leurs armes de mantes. Arbalètes et lances se détachaient sur le ciel, parfois, avec une précision d'antennes ; les hommes continuaient à arriver sans cris, sans autre bruit que le grattement des pas dans les buissons. Le beuglement d'un porc noir emplit la clairière, retomba ; le silence se fondit une fois de plus dans le soleil, et l'écoulement des hommes, là-bas, domina de nouveau la place.

Les blancs et Xa étaient entrés dans leur case, emportant armes et cartouches. Ils voyaient encore les charrettes, qu'une pierre dépassait. Quelle défense attendre de cette case sur pilotis fermée sur trois côtés, ouverte devant eux ? Par terre, une claie : ils la dressèrent aussitôt ; haute d'un mètre, elle ne les protégeait qu'à mi-corps. Aux premières flèches, il faudrait se coucher. Ils étaient là comme à l'intérieur d'une baraque foraine ; dans le grand rectangle libre, au-delà de la place abandonnée, les départs, les arrivées des Moïs passaient sur les morceaux de remparts, entre les cases et les arbres cultivés. Devant, déserte, toute la place se débattait contre le silence ennemi.

" Écoute, Grabot, toi qui les connais : nous sommes dans la case qui est à droite de celle du chef. Ils ont l'air de commencer à se remuer. Que vont-ils faire ? "

" Réponds, quoi ! Tu as bien compris ? "

Silence. Un moustique bourdonna dans l'oreille de Perken, qui se gifla, exaspéré. Enfin, cette voix :

— Qu'est-ce que ça peut foutre?...

— Tu veux rester ici? "

Il fit "non" de la tête, absurdement. Sans regard qui soutînt la négation, le mouvement du cou était animal comme un mouvement de taureau, comme l'expression de sa voix si peu humaine.

— Qu'est-ce que ça peut foutre, maintenant?

— Maintenant que tu es... que...

— Maintenant que tout, quoi!...

— Ça peut s'arranger...

— Et leurs vaches de chiens à qui ils ont fait bouffer mon œil, on les arrangera?

Des lignes pointues parurent, dépassant l'ouverture : de nouvelles lances, au fond de la place.

" On est avec qui dans la case? Y a toi, l'autre qu'est sûrement un petit jeune; et l'autre?

— Le boy.

— C'est tout? Et eux, ils sont autour?

— Je ne vois que la place.

De deux coups de couteau, il fit de minces trous dans la paroi :

" Il n'y en a pas des autres côtés.

— Ça viendra... A la nuit, ils n'ont qu'à allumer là-dessous... C'est presque comme ça que ça m'est arrivé... Pour ce que ça peut foutre!... "

Silence. La hachure des lances avait disparu : là-bas, les guerriers s'étaient accroupis...

" Comment en tirer quelque chose? " se demandait Claude.

— Vous tenez à crever ici? "

Il secouait ses poings, ces poings que Grabot ne voyait pas — prisonnier cette fois de son univers de formes comme l'autre de sa tête murée. Comment convaincre un aveugle? Il ferma ses propres yeux,

serrant ses paupières, cherchant d'autres mots; mais
Grabot répondait :

— Si vous en descendez un, passez-le-moi... Attaché...

Claude épiait une lance qui venait de reparaître,
mais le dernier mot fut si saisissant qu'il l'abandonna :
féroce, venu d'un tel abîme d'humiliation — non
pas bestial, atroce avec simplicité. Cette âme que dans
la case rien n'avait pu appeler ne revenait-elle que pour
être la conscience de la plus atroce déchéance? Et ces
rêves de supplices, les doigts réunis de cette main,
crispés en pointe, tous les ongles ensemble, sur quel
œil à écraser? Elle tremblait au bout du bras : rien sur
le visage, mais les doigts des pieds se recroquevillaient.
Ce corps savait parler — dès que s'était ouverte la
case de la meule, cette main tendue pour manger, ce
dos habitué au caveçon — et seulement de ce qu'il
avait souffert; son langage de chair était si puissant
que Claude oublia, une seconde, que c'était eux que
les supplices attendaient, de l'autre côté. Ils ne pouvaient rien contre le feu. Rien. Le cri d'un paon s'éleva,
perdu dans le calme intense du ciel : les Moïs accroupis
eussent semblé somnolents sans leurs regards de chasseurs; et sur tous ces regards l'air se tendait à l'extrême,
comme un épervier immobile dans le ciel. Tant que
le jour durerait...

"Vous croyez qu'ils mettront le feu, Perken?

— Pas de doute.

L'autre ne parlait plus.

"Ils attendent quelque chose : ou l'arrivée du chef,
ou le soir. Ou les deux... Tu peux être sûr qu'ils ont
confiance. "

Claude crut d'abord que Perken avait parlé à Grabot,
à cause du tutoiement.

— Alors, est-ce qu'il ne vaudrait pas mieux tirer
dessus, et tâcher de gagner la porte? Nous avons pas

mal de cartouches... Une chance sur cent, je sais bien...
Peut-être auront-ils assez la frousse pour...

— Au deuxième type descendu, tous les autres
seront embusqués, d'abord; ensuite, plus de pourparlers possibles. On ne sait jamais... ils pensent que
nous avons rompu le serment du riz en cherchant
Grabot, mais ils ne doivent pas en être très sûrs; il faut
voir... Enfin, ils sont encore plus forts en forêt qu'ici.

— Crever pour crever, autant en descendre quelques-uns. En voilà deux qui s'amènent par ce trou-ci
et quatre... cinq, oh! six, huit, c'est tout? de l'autre
côté. Ça s'annonce bien. Et si on essayait de filer par là?
Après tout, la barricade...

— La forêt! "

Claude se tut à nouveau. Perken écoutait : un son de
chaudron roulé arrivait jusqu'à eux :

" Ils ne tenteront pas l'incendie avant la nuit, reprit-il.
Notre seule chance, c'est de filer à la tombée du jour.
Combattre en profitant de la nuit, avant que...

— J'aurais tout de même un sacré plaisir à en descendre quelques-uns! Celui qui se balade là-bas tout
seul, mon revolver en dresse les oreilles... Tu es sûr
qu'il ne faut pas s'occuper de lui?

Il montra la place des balles dans le chargeur.

" Il en restera toujours deux...

— Ouai?... "

C'était Grabot. Une voix, une voix seule, pouvait
donc à ce point exprimer la haine. Cet homme qui était
là avec eux. Et il n'y avait pas que la haine, il y avait
aussi la certitude. Claude, atterré, le regardait : cette
peau décolorée d'homme de cave, mais ces épaules
de lutteur... Une puissante ruine. Et il avait été plus
que courageux. Celui-là aussi pourrissait sous l'Asie,
comme les temples... L'homme qui avait osé détruire
l'un de ses yeux, tenter de pénétrer seul, sans garanties,
en une telle région. " Ça n'ira toujours pas plus loin

que mon revolver... " L'épouvante rôdait auprès de
lui, en cette seconde, autant qu'auprès des Moïs.

— Bon dieu, il n'est pourtant pas impossible de...
— Con ! "

Bien plus que l'injure et même que la voix, la tête
ravagée de Grabot disait : on ne peut pas quand c'est
inutile, et quand c'est nécessaire il arrive qu'on ne
puisse plus. " ... Suffit de vouloir... " Il s'agissait d'une
chose où lui, Claude, avait très peu de place... La main
en dehors, le canon tourné vers sa tête, il éleva son
revolver, bien qu'il sentît son absurdité, qu'il sût que
s'il avait tiré, il aurait tourné l'arme, au dernier moment, contre Grabot, pour supprimer ce visage, cette
haine, cette présence — pour chasser cette preuve de
sa condition d'homme, comme l'assassin qui coupe
son doigt révélateur. Il sentit soudain le poids du
revolver et laissa retomber sa main : l'absurdité se
retirait de lui avec une puissance de flot ; sur ses débris,
les ombres sinistres du bout de la place, les lances et
les cornes sauvages plaquées sur le ciel semblèrent
pour la première fois sans force. Un instant. Il suffit
qu'un Moï se levât : il faillit tomber, s'accrocha à son
voisin qui cria : le son étouffé par la distance traversa
lentement la clairière, et la libéra de son aspect d'em-
buscade pétrifiée. De l'autre côté, les Moïs devenaient
plus nombreux ; mais accroupis ou en mouvement,
armés d'arbalètes ou de lances, ils s'arrêtaient toujours
à la lisière de la place, serrés, grouillants près de cette
ligne mystérieuse, tels des chiens ou des loups, comme
si quelque pouvoir occulte leur interdît de la franchir.
Le temps seul vivait, écrasant, sur cette place vide : les
minutes étaient prisonnières de ce cercle de brutes
qui prenait un caractère d'éternité comme si rien ne
dût plus arriver par le monde qui pût franchir leurs
têtes, comme si vivre, subir les heures — et celle
qu'annonçait la décoloration du ciel, cette tombée du

soir qui précéderait de peu l'incendie — n'eût été pour
les blancs que subir de plus en plus irrécusablement
l'oppression de cette barrière de vies dressée devant
celle des pieux géants, que comprendre davantage
quelle préparation à l'esclavage était cet emprisonnement. Traqués : comme les têtes des fauves à l'affût,
celles-ci ne vivaient que par les regards, qui conver-
geaient sur la case comme sur le centre d'un piège.
Claude ne fixait pas une tête dans le rond des jumelles
qu'il n'en rencontrât aussitôt les yeux; la lorgnette
abaissée, ces regards de brutes avides se perdaient dans
l'éloignement; mais il restait en face de ces paupières
plissées, de ces cous tendus de chiens.

De nouveaux guerriers venaient de paraître, appuyés
sur leurs arbalètes, comme si leurs compagnons se
fussent dédoublés : ils avançaient en fourmis, toujours
le long de la ligne mystérieuse, vers la gauche. La paroi
de la case les masquait : Perken la troua : presque sous
ses yeux, un tombeau surmonté de deux grands fétiches
à dents : homme et femme, tenant à pleines mains leur
sexe peint en rouge; au-delà, une case. Les Moïs, sans
nul doute, avançaient derrière cette case qu'ils allaient
occuper : mais des claies ayant été posées sur ses ouvertures, elle demeurait sans mouvement. La ligne des
Moïs disparaissait derrière elle comme dans une trappe :
et ce remous qui peu à peu allait s'approcher se dirigeait, dès qu'ils cessaient de le voir, vers cette façade
bourdonnante et murée comme un nid de guêpes,
au-delà de ces deux sexes de bois où s'encastraient des
doigts recroquevillés.

Cette façade aussi vivait, sournoise, immobile,
chargée de tout ce qu'elle cachait, de ces sous-
hommes qui disparaissaient derrière elle, tout à coup
transformés en néant menaçant...

"A quoi ça peut-il bien les avancer?" chuchota
Claude. A se rapprocher?

— Ils ne seraient pas si nombreux... ”

Perken reprit les jumelles; presque aussitôt il fit de
la main un geste dans l’air, comme pour appeler Claude,
mais ramena sa main afin que la jumelle ne bougeât pas.
Puis il la lui passa :

“ Regardez les coins.

— Alors?

— Plus bas, près du plancher.

— Qu’est-ce qui vous inquiète? Les machines qui
passent ou les espèces de trous?

— C’est la même chose : les machines sont des arbalètes, les trous sont là pour en passer d’autres.

— Et alors?

— Il y en a plus de vingt.

— Quand nous tirerons, ce ne sont pas les claies
qui protégeront les bonshommes!

— Ils sont couchés : nous perdrons beaucoup de
balles. Et d’ailleurs, il fera nuit. Eux nous verront
parce que cette case-ci brûlera, mais nous ne verrons
presque rien.

— Alors pourquoi tant d’histoires? Ils n’avaient
qu’à rester où ils étaient?

— Ils veulent nous avoir vivants. ”

Claude, fasciné, regardait l’énorme piège, sa masse,
ces bois courbes d’arbalètes qui sortaient à sa base
comme des mandibules. A peine entendit-il la voix
de Xa, qui parlait à Perken : celui-ci reprit les jumelles.
A son tour, Claude chercha dans la même direction,
au fond de la clairière. Nombre de Moïs s’étaient
courbés vers le sol, comme pour repiquer des plantes;
les autres marchaient avec grand soin, pliant les
genoux, levant très haut les pieds, comme des chats.
Il se retourna vers Perken, interrogatif.

— Ils plantent les lancettes de guerre.

Donc, ils attendaient bien la nuit, et prenaient leurs
précautions. Et combien de travaux semblables se

préparaient ou se poursuivaient, derrière la case, derrière la ligne fourmillante de ces corps penchés?

Empêcher les Moïs d'incendier leur case, il n'y fallait pas songer : le feu allumé, ils ne pourraient que se lancer en avant — contre les arbalètes — ou à droite, vers les lancettes de guerre. Au-delà, les pieux de l'enceinte, et au-delà, la forêt... Rien à faire, sinon en tuer le plus possible. Ah! ces sangsues qui se tordaient si bien, en grésillant, sur les allumettes!

Il n'y avait rien à faire que ce qu'avait conseillé Perken : tenter de fuir à la tombée du jour, quelques instants avant l'incendie. Resterait la forêt... Mais cette fuite même, quelles étaient ses chances contre les lancettes de guerre?

Claude regardait les charrettes.

Les charrettes, — les pierres.

Recommencer...

Sortir d'ici d'abord, ou être tué. N'être pas pris vivant...

" Que plantent-ils encore? "

Ils s'agitaient de nouveau au fond de la clairière, lances croisées.

— Ils ne plantent rien : c'est le chef qui revient. "

Perken passa les jumelles à Claude, une fois de plus. L'agitation, rapprochée ainsi, restait ordonnée : rien ne distrayait les Moïs de leur but. L'extrême tension de l'atmosphère, l'hostilité de ce qui baignait dans l'air, comme si tous ces gestes tendus vers eux se fussent ramassés en une seule âme, tout convergeait des êtres à l'affût vers ces hommes acculés; et quelque chose, dans la case même, s'accorda tout à coup à cette âme acharnée : Perken. Il était fixé comme par un instantané, le regard perdu, la bouche ouverte, tous les traits affaissés. Plus rien d'humain dans la case : effondré dans son coin, Xa attendait, plié en bête; Grabot — qu'il continuât à se taire! — autour, ces gueules de

fauves, cet instinct de sadiques, précis et bestial comme
ce crâne de gaur à dents de mort; et Perken pétrifié.
L'épouvante de l'être écrasé de solitude saisit Claude
au creux de l'estomac, au défaut des hanches, l'épouvante de l'homme abandonné parmi des fous qui vont
bouger. Il n'osa pas parler, mais toucha Perken à
l'épaule; celui-ci l'écarta sans le regarder, avança de
deux pas et s'arrêta en plein encadrement de l'ouverture — à portée de flèche.

— Attention!

Perken n'entendait plus. Ainsi, cette vie déjà longue
allait se terminer ici dans une flaque de sang chaud, ou
dans cette lèpre du courage qui avait décomposé
Grabot, comme si rien, dans aucun domaine, n'eût pu
échapper à la forêt. Il le regarda : le cou sur la poitrine,
le visage caché par les cheveux, l'aveugle marchait
lentement en rond — comme autour de la meule —
une épaule en avant, retourné à son esclavage. Perken
était harcelé par son propre visage, tel qu'il serait
peut-être demain, les paupières à jamais abaissées sur
les yeux... Pourtant on pouvait combattre. Tuer, enfin!
Cette forêt n'était pas qu'un foisonnement implacable,
mais des arbres, des buissons derrière lesquels on pouvait tirer — mourir de faim. La folie lancinante de la
faim, qu'il connaissait, n'était rien auprès des meules
endormies avec leurs harnais d'esclaves dans le village;
dans la forêt, on pouvait se tuer en paix.

Toute pensée précise était anéantie par ces têtes aux
aguets : l'irréductible humiliation de l'homme traqué
par sa destinée éclatait. La lutte contre la déchéance se
déchaînait en lui ainsi qu'une fureur sexuelle, exas-
pérée par ce Grabot qui continuait à tourner dans la
case comme autour du cadavre de son courage. Une
idée idiote le secouait : les peines de l'enfer choisies
pour l'orgueil — les membres rompus et retournés,
la tête retombée sur le dos comme un sac, le pieu du

corps à jamais planté en terre, — et le désir forcené que tout cela existât pour qu'un homme, enfin, pût cracher à la face de la torture, en toute conscience et en toute volonté, même en hurlant. Il éprouvait si furieusement l'exaltation de jouer plus que sa mort, elle devenait à tel point sa revanche contre l'univers, sa libération de l'état humain, qu'il se sentit lutter contre une folie fascinante, une sorte d'illumination. "Aucun homme ne tient contre la torture" traversa son esprit, mais sans force, comme une phrase, lié à un cliquettement inexplicable : ses dents qui claquaient. Il sauta sur la claie, hésita encore une seconde, tomba, se redressa, un bras en l'air, tenant son revolver par le canon, comme une rançon.

"Fou ?" Claude, la respiration coupée, le suivait du canon de son arme : Perken marchait vers les Moïs, pas à pas, tout le corps raidi. Le soleil abaissé lançait sur la clairière de longues ombres diagonales, avec un dernier reflet sur la crosse du revolver. Perken ne voyait plus rien. Son pied rencontra un buisson bas ; il fit un geste de la main, comme s'il eût pu l'écarter (il ne suivait pas le sentier), continua d'avancer, tomba sur un genou, se releva, toujours aussi raide, sans avoir lâché le revolver. La piqûre des plantes fut si aiguë qu'il vit, une seconde, ce qui était devant lui : le chef inclinait la main vers la terre, opiniâtrement. Poser le revolver. Il était là-haut dans sa main. Enfin il parvint à plier le bras, prit l'arme de l'autre main, comme pour la détacher. Ce n'était plus de l'hésitation : il ne pouvait plus bouger. Enfin elle s'abaissa d'un coup et s'ouvrit, tous les doigts tendus : le revolver tomba.

Quelques pas encore. Jamais il n'avait marché ainsi, sans plier les genoux. La force qui le soulevait connaissait mal ses os : sans la volonté qui le jetait vers la torture avec cette puissance d'animal fasciné, il eût cru dériver. Chaque pas des jambes raidies retentissait

dans ses reins et son cou; chaque herbe arrachée par
ses pieds qu'il ne voyait pas l'accrochait au sol, ren-
forçait la résistance de son corps qui retombait d'une
jambe sur l'autre avec une vibration que coupait le
pas suivant. A mesure qu'il s'approchait les Moïs incli-
naient vers lui leurs lances qui luisaient vaguement
dans la lumière mourante; il pensa soudain que sans
doute ils n'aveuglaient pas seulement leurs esclaves,
mais les châtraient.

Une fois de plus il se trouva planté dans le sol,
vaincu par la chair, par les viscères, par tout ce qui
peut se révolter contre l'homme. Ce n'était pas la peur,
car il savait qu'il continuerait sa marche de taureau.
Le destin pouvait donc faire plus que détruire son
courage : Grabot était sans doute un double cadavre.
La barbe, pourtant... Il voulut se retourner, absurdement, pour le regarder encore; il ne vit que le revolver.

L'arme était tout près du sentier, presque au centre
d'une plaque d'argile dénudée, comme si elle eût brûlé
l'herbe autour d'elle. Capable de tuer sept de ces
hommes. Capable de toutes les défenses. Vivante. Il
revint vers elle; les bois courbes des arbalètes bril-
lèrent un instant dans l'air rouge de la clairière.

Donc, il y avait sans doute un monde d'atrocités
au-delà de ces yeux arrachés, de cette castration qu'il
venait de découvrir... Et la démence, comme la forêt
à l'infini derrière cette orée... Mais il n'était pas encore
fou : une exaltation tragique le bouleversait, une allégresse farouche. Il continuait à regarder vers la terre :
à ses guêtres arrachées, à ses lacets de cuir tordus collait
absurdement l'image ancienne d'un chef barbare prisonnier comme lui, plongé vivant dans la tonne aux
vipères, et mourant en hurlant son chant de guerre,
les poings brandis comme des nœuds rompus... L'épouvante et la résolution s'accrochaient à sa peau. Il lança
son pied sur le revolver qui parcourut un mètre en

clochant, rebondissant de crosse en canon, comme un
crapaud. Il repartit vers les Moïs.

Claude, haletant, le tenait dans le rond des jumelles
comme au bout d'une ligne de mire : les Moïs allaient-
ils tirer? Il tenta de les voir, d'un coup de jumelle;
mais sa vue ne s'accommoda pas aussitôt à la différence de distance, et sans attendre il ramena les jumelles
sur Perken qui avait repris exactement sa position de
marche, le buste en avant : un homme sans bras, un dos
incliné de tireur de bateaux sur des jambes raidies.
Lorsqu'il s'était retourné, une seconde, Claude avait
revu son visage, si vite qu'il n'en avait saisi que la
bouche ouverte, mais il devinait la fixité du regard à
la raideur du corps, aux épaules qui s'éloignaient pas à
pas avec une force de machine. Le rond des jumelles
supprimait tout, sauf cet homme. Le champ de vision
dérivait vers la gauche; d'un coup de poignet il le
ramena. Une fois de plus, il perdit Perken : il le cherchait trop loin, dans une des longues traînées du soleil.
Perken venait de s'arrêter.

Un instant, la ligne des Moïs vers lesquels il marchait lui était apparue sans épaisseur, nette à hauteur
des têtes mais perdue à sa base dans le brouillard qui
commençait à monter du sol. Un dernier reflet brillait
en tremblant sur ces choses mobiles, comme lié à
l'angoisse haletante des hommes contre la paix du soir.
Sa main vide maintenant se fermait, molle, aussi légère
qu'une main de malade, comme s'il eût encore cherché
une arme; et soudain, son regard rencontrant la cime
des arbres où s'étendait longuement la dernière rou-
geur du soleil, tandis qu'au ras de terre l'immobile
agitation continuait, la passion de cette liberté qui allait
l'abandonner l'envahit jusqu'au délire. Au bord de
l'atroce métamorphose qui l'obsédait, il se raccrochait
à lui-même, les mains crispées s'enfonçant dans la chair
des cuisses, les yeux trop petits pour l'invasion de

toutes les choses visibles, la peau comme un nerf. Jeté
sexuellement sur cette liberté à l'agonie, soulevé par
une volonté forcenée se possédant elle-même devant
cette imminente destruction, il s'enfonçait dans la
mort même, le regard fixé sur le rayon horizontal qui
là-haut s'allongeait de plus en plus, délivré de ces
ombres sinistres et vaines dont l'affût se perdait dans
l'obscurité qui montait de la terre. La lueur rouge du
soleil s'allongea d'un coup, comme une ombre; le
jour décomposé qui précède de quelques instants la
nuit des Tropiques s'effondra sur la clairière : les formes
des Moïs se brouillèrent, sauf la ligne des lances,
noires sur ce ciel mort, et dont le reflet rouge était
parti. Perken retombait entre les mains des hommes,
face à face avec ces formes haineuses, avec l'apparition
sauvage de ces lances. Et soudain, tout chavirant à la
fois, il entendit sa propre voix qui criait et se sentit
saisi. Non : la sensation due à la crainte et non à la peau
disparaissait, mais cette douleur de blessures... Enfin
il comprit, car l'odeur de l'herbe l'envahissait : il était
tombé, un pied arrêté par une fléchette de guerre, sur
d'autres fléchettes. D'un poignet déchiré, le sang coulait. Il se releva, sur les mains d'abord : il était sûrement blessé au genou. Les Moïs avaient à peine bougé;
un peu plus près de lui pourtant... Avaient-ils voulu
se jeter sur lui, les avait-on arrêtés? Dans la pénombre,
il ne voyait distinctement que le blanc de leurs yeux,
mobile, sans cesse ramené vers lui. Un troupeau. Si
près... Que l'un sautât, il était à portée de lance. La
douleur apparaissait, à la fois aiguë et engourdissante,
mais il se sentait délivré de lui-même : il revenait à la
surface. Les Moïs tenaient leurs lances des deux mains,
en travers de leur poitrine, comme lorsqu'ils s'appro-
chent des fauves. Et il respirait comme une bête. Dans
sa poche, il avait toujours le petit browning; tirer sur
le chef, sans l'en sortir? Et après? Impossible de

s'appuyer sur sa jambe blessée; reposant sur l'autre, il la laissait pendre, mais le poids du pied la tirait et un élancement aigu envahissait le genou : il montait à intervalles réguliers, d'un mouvement mou et lancinant, lié au battement du sang qui des tempes retentissait dans sa tête. Et un grand mouvement s'était fait autour de lui, dont la conscience l'envahissait comme si elle eut été appelée par la douleur : les Moïs s'étaient rapprochés derrière lui, le séparant de Claude. Ne l'avaient-ils laissé avancer jusqu'ici que pour cela?

IV

Il était devant eux. Le chef ne le quittait pas du regard, d'un regard que le frémissement des paupières rendait papillotant, guettant maintenant son prochain mouvement. Sa main droite valide tenait toujours le petit browning, prête à tirer à travers la toile, gênée par un réflexe qui l'obligeait à soutenir la poche, comme s'il eût pu diminuer ainsi le poids de la jambe blessée. Il étendit la main gauche vers le guide, debout à côté du chef. Le sauvage leva vers cette main qui s'avançait son sabre oblique, mais il comprit que le geste était pacifique : le sabre toucha presque la main dont le sang, goutte à goutte, tombait par terre sans le moindre son, puis s'abaissa.

— " Savez-vous que cet homme vaut cent jarres ! " cria Perken.

Le guide ne traduisit pas : l'impuissance tomba sur Perken comme une révélation. Prendre cette brute par le cou, la secouer, la faire parler !

" Traduis, bon dieu ! "

Le guide le regardait, la tête enfoncée entre les épaules, comme s'il eût eu plus peur de ces paroles que du combat. Perken devina qu'il ne comprenait pas : il avait parlé trop vite, dans un siamois non déformé, et le cri rendait plus difficile la distinction des tons.

Il reprit, s'efforçant à la lenteur :

" Toi dire chef... "

Il séparait les mots, exaspéré par sa respiration précipitée qui battait les syllabes. Les yeux fixés sur ceux de l'interprète, maladroit devant ce regard de sauvage, il tentait de deviner. Le Moï inclinait légèrement l'épaule vers le chef, comme s'il allait parler.

" ... Homme blanc aveugle valoir... "

Comprenait-il? Sa destinée, à lui, Perken, se jouait sur cette masse vivante. Sa vie aboutissait comme à un passage à ces jambes couvertes d'eczéma, à ce pagne ignoble et sanglant, à cette humanité capable seulement de pièges et de ruse, ainsi que les bêtes de la forêt. Il dépendait totalement de cet être, de ses pensées de larve. Quelque chose en cet instant vivait sourdement dans cette tête, comme s'ouvrent les œufs de mouches pondus dans le cerveau. Depuis une heure, il n'avait pas eu une aussi violente envie de tuer :

— " ... Valoir plus de cent jarres... "

Enfin, il traduisit! Le vieux chef ne fit pas un geste. L'immobilité de tous était telle qu'il semblait que la nuit seule ne se fût pas arrêtée, qu'on la vît monter vers le ciel. Comme lors des rites du matin, toute la vie de ce lieu séparé du monde se suspendait à l'ombre silencieuse du chef; pas un cri d'animal ne venait des profondeurs des feuilles qui paraissaient se prolonger dans ce silence et cette immobilité jusqu'aux limites de la terre. Perken attendait un geste de la main; mais non : il se rapprochait de l'interprète, parlait; l'homme traduisit aussitôt.

"Plus de cent?

— Plus. "

Le chef réfléchissait, remuant les dents sans arrêt comme un lapin. Il releva la tête : un cri venait d'arriver du fond de la clairière.

— Perken!

Claude ne le voyait plus et l'appelait. Dans quelques
minutes, la nuit serait tombée; ils seraient perdus,
si leur dernière chance, l'échange, leur échappait...
— Viens!... "

Perken avait lancé ce mot de toute sa voix; le chef
le regardait, méfiant, agitant toujours ses gencives,
menaçant dans le silence retombé.

" Je l'appelle ", dit Perken à l'interprète.

— Sans arme! répondit le chef.

— Prends seulement le petit browning ", cria Perken en français.

Le combat continuait...

Un rond lumineux parut dans les ténèbres grises
où mourait la voix : Claude avait allumé sa lampe
électrique. On ne le voyait pas, on n'entendait pas
le moindre bruit de buissons écrasés; seul, ce rond
avançait en zigzaguant, toujours à la même hauteur,
accompagnant le liquide claquement du sang dans
les veines des tempes dont Perken ne parvenait pas
à se délivrer. La lumière suivait le sentier, sans nul
doute. Relevée d'un coup, elle abandonna le sol,
passa en fauchant sur les hommes assemblés, revint
au sol chercher la piste : tous ces êtres sortis un instant
des ténèbres — les points blancs des dents allumés
tout à coup, les bustes inclinés vers Perken — retombèrent à leur rôle d'ombres.

Perken commençait à souffrir : il s'assit par terre,
non sans peine. Les élancements devinrent moins
fréquents. La lampe électrique s'éteignit : Claude, à
quelques mètres à peine, écrasait des feuilles en avançant; Perken, les jambes allongées, la tête près du
sol, ne voyait que la masse de la forêt où se perdaient
toutes les formes proches, et la grille des lances sur
le ciel. Des paroles rôdaient autour de lui, comme une
discussion étouffée.

— Tu es blessé?

C'était Claude.

— Non. Enfin, si, pas gravement. Assieds-toi à côté de moi. Et éteins ça. ”

Les Moïs d'ailleurs préparaient un grand feu.

Perken résuma.

— Tu as proposé plus de cent jarres... Combien y a-t-il de guerriers?

— De cent à deux cents.

— Ils ronchonnent... Que crois-tu qu'ils disent? ”

Les paroles, en effet, continuaient à rôder, plus gutturales. Deux voix se détachaient des autres, plus hautes, affirmatives : l'une était celle du chef.

— Je pense que le chef et le propriétaire de Grabot discutent.

— Que défend le chef? Le village, en bloc?

— Sans doute.

— Si on proposait une jarre pour chaque guerrier, et cinq ou dix, ce que tu voudras, pour le village? ”

Aussitôt, Perken fit la proposition. L'interprète avait à peine traduit qu'un murmure envahit l'ombre : chacun parlait, faiblement d'abord, puis jusqu'au jacassage furieux. Les lances s'agitaient maintenant sur le ciel criblé des mêmes étoiles que la veille. Elles disparurent : la flamme du bûcher venait de jaillir en chuintant, fouettant tout de ses battements inégaux. Elle montait et des têtes apparaissaient, nettes aux premiers plans, perdues aux derniers : presque tous les guerriers étaient là, fous de paroles, délivrés tout à coup des blancs. Chacun parlait pour soi, de plus en plus haut, les bras immobiles, mais agitant la tête; le feu, à intervalles égaux, engloutissant le bruit des castagnettes étouffées des paroles, replaquait ses accents rouges sur leurs têtes de vieux paysans où reparaissait soudain, plus vite que la montée de la flamme, leurs regards fixes de chasseurs. Le jacassage entourait un cercle muet; dans ce trou de silence les anciens accrou-

pis autour du chef, les bras très longs, comme ceux
des singes, parlaient l'un après l'autre. Claude ne les
quittait pas du regard, anxieux de l'expression de
leur visage qu'il voulait traduire, qu'il abandonnait,
expression aussi étrangère que la langue qu'ils parlaient.

L'interprète vint vers Perken.

— L'un de vous partira, l'autre restera jusqu'à son
retour... "

— Non. "

" Un seul peut mourir en chemin, fit ajouter Claude :
alors, pas d'échange. "

Le Moï repartit, heurtant la jambe blessée de Perken
qui faillit crier; la douleur, de nouveau, s'engourdit...

Les palabres avaient repris.

" A la rigueur, dit Claude...

— Non, je connais les sauvages : s'ils espèrent
vraiment, les vieux ne pourront pas tenir contre le
village; et l'important est de gagner du temps; s'il
faisait jour, j'aurais d'autres moyens... "

Le jacassage se perdit soudain dans des voix étouffées, comme celui des oiseaux dans l'envol : tous
regardaient le groupe des anciens. En même temps
que les têtes se tournaient, les bouches demeurées
ouvertes pendant le discours des voisins se fermaient
d'attention.

— " Aucune tribu ne possède une jarre par
homme! " cria Perken en siamois.

L'interprète traduisit. Le chef ne répondit pas.
Nul ne bougeait : l'attente s'étendait, hostile, comme
des ronds dans l'eau. Les guerriers guettaient le
chef.

Perken voulut se lever, mais il craignait de marcher
avec trop de peine, et d'affaiblir ainsi ses paroles. Il
cria encore :

" Nous serons sans escorte. Les jarres...

L'interprète vint à lui, suivi du mouvement una-
nime des têtes.

"... les jarres viendront dans des charrettes.

" Pas d'escorte. "

Il s'arrêtait après chaque phrase pour que la tra-
duction fût faite aussitôt.

" Trois hommes seulement.

" Faites l'échange dans une clairière que vous
indiquerez. "

Claude avait à tel point l'habitude de voir les blancs
approuver de la tête, que l'immobilité de ces visages,
aussitôt après le mouvement qui venait de les tourner
vers eux, le heurta comme un refus. " Ça doit pourtant les séduire, murmura-t-il, de posséder chacun la
sienne!

— Ils ne se rendent pas bien compte... "

Que se passait-il? Des Moïs se levaient. Hésitants,
le dos encore courbé, un bras vertical tendu vers
le sol sur quoi ils venaient de s'appuyer. Et se diri-
geaient vers la case d'où venaient les blancs, leur
ombre devant eux. Trois, quatre... Ils se confon-
dirent avec la masse des arbres; seule, la partie supérieure des lances se voyait encore sur le ciel étoilé...
Les autres attendaient, tendus par une attente si
contagieuse qu'elle gagnait les blancs. Au-dessus de
la barre ondulée des arbres, Claude guettait le retour
des lances. Des cris arrivèrent, auxquels répondit une
clameur satisfaite; les pointes surgirent un instant,
croisées, près d'une étoile très claire, descendirent,
remontèrent, de plus en plus grandes; les hommes
entrèrent dans la lumière rouge, attachés à la nuit
par leurs ombres qui s'y perdaient. Perken reconnut
parmi eux le maître de Grabot; il était allé s'assurer
de la présence de son esclave, et les autres avaient
craint qu'il ne se fût enfui. Il voulait retourner à la
case : deux guerriers le tenaient par les poignets;

tous trois criaient, mais Perken ne les comprenait
pas. Enfin, ils s'accroupirent; les palabres recommen-
cèrent et de nouveau, une absurde atmosphère de
discussion paysanne s'établit sur la férocité, sans la
recouvrir tout à fait.

— Ça va durer longtemps? demanda Claude.

— Jusqu'à ce qu'ils éteignent le bûcher, à l'aube.
Toujours : l'heure des décisions propices. "

Maintenant que son énergie ne s'appliquait plus,
Perken retombait sur lui-même. A peine sentait-il qu'il
avait retrouvé sa vie : lorsqu'il avait risqué torture
et déchéance en craignant de n'y pouvoir résister,
il avait été à tel point arraché à lui-même qu'il ne se
sentait plus en face que d'une vie de brouillard. Qu'y
avait-il de réel dans cette rumeur qui montait et descendait avec la flamme, dans ce conciliabule de fous
au centre de cet implacable écrasement de la forêt
et de la nuit? Avec la fièvre, la haine de l'homme l'envahissait, la haine de la vie, la haine de toutes ces
forces qui maintenant le reconquéraient, chassaient
peu à peu ses souvenirs atroces, comme ceux d'une
extase. Il avait cessé de se sentir prisonnier, bien qu'il
écoutât sa blessure, ses élancements, sa fièvre, plus
que sa pensée; mais la chaleur de bain qui sortait
de ses joues et de ses tempes désagrégeait tout ce qui
venait des hommes. Les Moïs ne bougeaient plus;
depuis que les éclats du foyer rayaient chaque fois
les mêmes lances plantées en terre, lissaient les mêmes
bras brillants de sueur, la rumeur passait sur l'assem-
blée presque toute perdue dans l'ombre comme un
bruissement d'insectes sur des momies accroupies;
lorsque s'abaissait le bûcher, les ténèbres revenaient
battre ces épaves avec un ressac d'où surgissaient les
lances en désordre. La fièvre qui montait toujours
leur donnait une immobilité minérale; la nuit se
soulevait à l'assaut de cette sauvagerie décomposée,

la recouvrait comme la forêt avait recouvert les
temples, puis sa vague s'effondrait et les têtes repa-
raissaient, avec les points fixes et rouges de leurs
yeux qui reflétaient le feu jusqu'aux profondeurs de
l'obscurité

L'aube.
Une motte de terre écrasa la dernière flamme du
bûcher. L'interprète vint s'accroupir à côté de Perken.
— Vous choisirez l'endroit et le jour.
— Serment?
— Serment. "
Il transmit le dialogue en hurlant.
Un à un les Moïs se levèrent, débris d'un naufrage
dans le petit jour blême et froid; leur masse ondula
comme une bâche, se désagrégea enfin. Plusieurs
urinaient, immobiles.
— Tu crois au serment, Perken?
— Attends. Il faudrait aller chercher les cartouches
qui sont dans mon ancienne gaine, dans la première
charrette, sous la veste... et mon Colt...
— Où?
— Je ne sais pas... Entre la case et ici...
Heureusement, il était tombé sur la tache sans
herbe, où Claude le découvrit aussitôt. Dès qu'il l'eut
pris — preuve de paix — un homme habillé sortit
de leur case : Xa. Tous deux allèrent aux charrettes;
Xa sortit la gaine puis revint vers Perken.
— Grabot? demanda celui-ci.
Le boy écarta les mains :
— Maintenant, dormir!... "
Les anciens s'étaient accroupis sous le gaur; un
esclave apportait les jarres d'alcool. Perken se leva,
appuyé sur Claude qu'inquiétaient le creux et le frémissement de ses joues non rasées : il se mordait profondément pour ne pas grimacer de douleur. Le chef but,

tendit le bambou : Perken approcha sa tête, s'arrêta.
Tous le regardaient.

— Qu'as-tu? " demanda Claude.

— Attends...

Refuser le serment? Les Moïs guettaient du chef
un signal. Perken avait levé la main gauche, pour
appeler l'attention. Il tira le Colt de sa gaine, dit à
l'interprète : " Regardez le gaur " et visa. Le point
de mire tremblait; la fièvre, et sa blessure... Pourvu
que la rosée de la nuit n'eût pas enrayé l'arme... Elle
était graissée... Tous les regards montaient dans le
prime matin vers l'os, poli par le soleil et les fourmis.
Perken tira. Une tache de sang s'écrasa entre les
deux cornes, s'agrandit du centre vers les bords;
une rigole rouge hésita, descendit soudain vers le
nez, s'arrêta au bord, tomba enfin, goutte à goutte.
Le chef tendit avec crainte sa main : une goutte rouge,
là-haut, restait immobile, suspendue; elle tomba sur
son doigt. Il la lécha aussitôt, dit une phrase qui
ramena tous les regards vers la terre, prisonniers
d'une inquiétude nouvelle.

— Du sang d'homme? " demanda l'interprète.

— Oui... "

Claude attendait que Perken s'expliquât, mais Perken regardait les Moïs. Les épaules en avant, tout le
corps affaissé et tendu à la fois, ils se rapprochaient
les uns des autres; de seconde en seconde comme un
fuyard, un regard quittait le groupe, atteignait le
crâne et retombait, furtif. Sous cette chasse constante
des yeux, sous cette angoisse, il semblait que la tache
continuât à s'étendre. Au bord supérieur, le sang
séchait, mais une autre rigole descendit vers le sol
avec un zigzag mou. Ce sang en mouvement, avec
ces rigoles comme des pattes, vivait ainsi qu'un gros
insecte, marquant l'os bleuâtre dans la lumière comme
un signe de possession.

De sa main, où sa langue avait étalé les gouttes
de sang, le chef indiquait le bambou : Perken but.
Claude avait espéré quelque soudaine adoration.
" ... Ils sont trop familiers avec le surnaturel, dit
Perken. Ils me regardent comme des blancs regar-
deraient le possesseur d'un fusil extraordinaire. Et
me craignent de la même façon. Ce que nous y gagnons
de plus clair, c'est de donner au serment du riz une
valeur absolue. " Claude buvait à son tour : — " Qu'est-
ce que cette histoire? — J'ai rempli une de mes balles
creuses avec le sang de mon genou. "

Le chef se leva. Xa alla atteler les charrettes; Perken
et Claude retournèrent à la case où était resté Grabot.
Il était étendu sur le côté, le bras allongé, la main
entrouverte : il dormait. Perken l'éveilla, lui annonça
l'entente passée avec les Moïs. Assis maintenant, la
tête molle sur les épaules, il ne répondait pas, à demi
endormi encore ou hostile.

" Je suis sûr qu'ils ne trahiront pas le serment
du riz maintenant ", dit Perken.

Grabot ouvrit la main sans répondre; Claude
détourna les yeux : Xa avançait avec les charrettes,
le dernier guide à côté de lui. Il avait pu atteler aussi
vite qu'à l'ordinaire, car rien n'avait été pillé; et cette
reprise du cours des choses, cet évanouissement de
la tragédie de la nuit tombait sur Claude comme la
conscience de son propre néant. Sous le gaur un
grand vide s'était fait : à l'extrémité des deux rigoles
noires, sur le bord dentelé de l'os, une goutte de
sang où brillait le soleil se coagulait.

V

Le guide montra le village siamois de sa lance : trois cents mètres plus bas, sur une tache de la forêt, près de quelques bananiers, des paillotes serrées, avec leur éternel aspect de bêtes des bois ; jusqu'à l'horizon, les lignes décroissantes, presque parallèles, des collines : le Siam. Le guide planta sa lance en terre pour marquer le lieu d'échange.

" — C'est bien choisi, dit Claude : il domine tous les sentiers qui mènent vers lui. "

Perken, couché sur une charrette dont Xa avait enlevé le toit, comme sur un brancard, se souleva :

" — C'est un pauvre idiot : si le Siam veut agir, il ne le fera qu'après l'échange : il ne sera pas difficile de faire suivre les charrettes chargées de jarres. Celui qui aura suivi, ensuite, guidera la colonne... "

Le Moï tenait toujours la lance ; enfin, il fut certain que les blancs l'avaient compris. Il se retourna et repartit en arrière, lentement d'abord, en courant ensuite, avec une maladresse d'animal chassé. Ils n'entendaient plus sa marche mais sentaient encore sa présence ; il remontait vers la sauvagerie, comme une barque vers un vaisseau.

Seuls avec leurs charrettes, avec leurs pierres, seuls avec ce sentier qui les poussait vers le village dont les toits scintillaient au-delà du gouffre de lumière.

Quelques villageois parlaient siamois. Perken choi-

sit des conducteurs, et de jour en jour la marche
reprit avec des relais aux villages, comme au Cambodge. Plus rapide, mais rythmée par le battement
du sang dans la jambe qui enflait davantage chaque
jour, dans le genou qui devenait de plus en plus
rouge. Perken mangeait à peine, ne se levait plus
que contraint. Le soir, la fièvre montait. Enfin parurent les cornes et les hautes cloches blanches d'une
pagode, toute bleue dans la lumière tropicale : le
premier gros bourg siamois. Dès l'arrivée au bungalow, Xa se renseigna. Il y avait là un jeune médecin
indigène qui avait fait ses études à Singapour, et
habitait Bangkok d'ordinaire; et un médecin anglais
en tournée, pour deux jours encore. "Il mange chez
le Chinois... " Il était à peine midi. Claude courut à la
gargote chinoise : sous un panka, devant des murs
de nattes lépreuses tendues d'énormes réclames de
cigarettes, entre des sodas et des bocaux verdâtres,
un dos de toile blanche, des cheveux blancs.

"— Docteur? "

L'homme se retourna lentement, des haricots ger-
més à l'extrémité de ses baguettes, le visage presque
aussi blanc que les cheveux. Il regardait Claude, à la
fois excédé et résigné.

— Qu'est-ce encore?

— Un blanc blessé, gravement. La plaie est enve-
nimée ".

Le vieillard haussa lentement les épaules, se remit
à manger. Claude, après une minute, se décida à
poser les poings sur la table. Le médecin leva les
yeux.

"— Vous pourriez me laisser achever mon repas,
non?

Claude hésita. "Vais-je lui flanquer une paire de
claques? " C'était le seul médecin européen. Il s'assit
à la table voisine, entre l'homme et la porte.

— " Entendu " aurait été une réponse plus courte.
" Achevez ".

Enfin le médecin se leva.

" — Où l'a-t-on mis?

" Où a-t-on encore eu la bêtise de le mettre ",
signifiaient voix et visage.

— Au bungalow.

— Allons. "

Le soleil, le soleil...

Dès qu'il fut dans la chambre il s'assit sur le lit,
ouvrit son couteau pour fendre la toile de la culotte,
mais l'enflure était déjà telle que Perken l'avait fendue
lui-même sur le côté. Le médecin tira l'étoffe brutalement, mais ses gestes changèrent dès qu'il commença à palper. Le gros point noir froncé de la blessure semblait sans rapport avec ce genou énorme et
rouge.

" Vous ne pouvez pas plier la jambe, n'est-ce pas?

— Non.

— Vous avez reçu une flèche?

— Tombé sur une pointe de guerre.

— Il y a combien de temps?

— Cinq jours.

— C'est mauvais...

— Les Stiengs n'empoisonnent jamais leurs pointes.

— Si la pointe avait été empoisonnée, vous seriez
mort à l'heure qu'il est. Mais un homme s'empoisonne
très bien tout seul. Admirablement fabriqué pour ça.

— J'ai mis de la teinture d'iode... quoique pas
tout de suite...

— Sur une plaie aussi pénétrante, c'est comme si
vous chantiez. "

Il palpait doucement le genou luisant, d'une telle
sensibilité au toucher qu'il semblait élastique à
Perken.

" Dur... La rotule ballotte... Donnez le thermomètre :

38,8... Et la température monte le soir, bien entendu. Vous ne mangez presque plus?

— Non.

— Chez les Stiengs!... "

Il haussa encore les épaules et parut réfléchir, puis il regarda de nouveau Perken, avec rancune :

"Vous ne pouviez pas vous tenir tranquille? "

Perken considérait son teint très blanc :

— Quand un opiomane me parle de tranquillité, je l'envoie toujours s'étendre. Si c'est l'heure de votre pipe, allez fumer et revenez plus tard, cela vaudra mieux.

— Je ne vous demande pas...

— Vous avez entendu parler de Perken, oui?

— Qu'est-ce que ça peut bien vous faire?

— C'est moi. Ce qui veut dire que je vous conseille de faire attention.

— Quand on pense qu'on peut avoir la paix!... "

Il se pencha de nouveau vers la blessure, non par obéissance, mais comme s'il eût cherché quelque chose; il suivait sa pensée. "Bêtise, grommelait-il, bêtise... " Un mince sourire sur ses lèvres, écœuré, abaissant les commissures au lieu de les relever, s'effaça, revint.

— Vous êtes Perken?

— Non, je suis le shah de Perse!

— Et cela vous paraît important, n'est-ce pas, d'avoir fait des choses dans ce pays, de vous être beaucoup remué, au lieu de rester bien tranquille, de...

— Est-ce que je vous demande, à vous, si ça vous paraît sérieux de rester bien tranquille, comme vous dites? "

Le sourire s'était de nouveau effacé.

— Eh bien, Monsieur Perken, écoutez bien : vous avez une arthrite suppurée du genou. Avant quinze jours, vous allez crever comme une bête. Et il n'y a rien à faire, comprenez-vous? Absolument rien. "

Le premier instinct de Perken avait été de frapper, mais le ton était tellement plus chargé d'amertume que d'hostilité, qu'il ne bougea pas. Il y discernait pourtant la haine des vieux intoxiquées pour l'action...

— Il faudrait tout de même trouver un médecin plus sérieux, dit Claude.

— Vous ne me croyez pas? "

Perken réfléchit.

— Avant de vous voir, je sentais qu'il en était peut-être ainsi. Il y a entre la mort et moi un vieux contact...

— Ne racontez donc pas d'histoires!

— ... mais je me méfie.

— Vous avez tort. Il n'y a rien à faire. Rien. Fumez, vous aurez la paix, et ne penserez pas à autre chose; l'opium est assez bon, par ici... Quand la douleur deviendra trop violente, piquez-vous... Je vous donnerai une de mes seringues. Vous n'êtes pas intoxiqué?

— Non.

— Naturellement! Alors, en triplant la dose au besoin, vous pourrez en finir quand vous voudrez... Je vais donner la seringue au boy.

— J'ai déjà été blessé par les pointes de guerre...

— Pas au genou... Les toxines microbiennes qui se forment là-dedans vont vous empoisonner lentement. Il n'y a qu'une solution, c'est l'amputation; mais vous n'avez pas le temps d'arriver à une ville où l'on puisse vous amputer. Piquez-vous, pensez à autre chose; tenez-vous tranquille, ça vous changera! C'est tout.

— Un coup de bistouri?

— On n'atteindrait rien : l'infection est trop profonde, et protégée par les os. Là-dessus, si le cœur vous en dit, allez chercher le Siamois, comme vous le propose ce petit jeune homme. Je vous préviens qu'il n'a aucune expérience clinique. Et c'est un indigène...

Mais il doit être dans vos idées de nous préférer ces
gens-là...

— En ce moment, beaucoup. ”

Avant de franchir le seuil, Xa à côté de lui, le médecin
se retourna, regarda encore Perken et Claude.

“Vous n'avez rien, vous?

— Non.

— Parce que, pendant que je suis là... ”

Mais c'est sur Perken que son regard restait posé;
à sa pesanteur, au plissement des paupières, on devinait une pensée, comme un reflet dans une glace
brouillée. Enfin il partit.

— Dommage qu'une paire de claques, ici, ait si
peu de sens, dit Claude : un joli phénomène. Je vais
chercher le Siamois?

— Tout de suite. Un médecin blanc en tournée
par ici est nécessairement un phénomène : opiomane
ou érotomane... Xa, va chercher le chef du poste. Tu
lui donneras ceci. (Il tendit une pièce administrative
siamoise où seul son nom était inscrit en caractères
latins). Tu lui diras que c'est Perken. Et trouve-moi
des femmes pour ce soir. ”

Quand Claude revint, — le médecin indigène allait
le rejoindre bientôt — le chef de poste était là. Perken
et lui parlaient siamois : l'officier écoutait, répondait
brièvement, prenait des notes. Il écrivit sous la dictée
une dizaine de phrases.

“ — Alors, Grabot? demanda Claude, dès qu'il
fut parti.

— Nous l'aurons. Ce type pense, comme moi, que
le gouvernement va profiter de l'occasion pour envoyer
une colonne de répression, et occuper tout ce qui
pourra être occupé dans cette région dissidente. Bon
prétexte et avantage réel : Un blanc martyrisé, les
Français n'ont rien à dire, et ils pourraient trouver un

jour quelque prétexte de ce genre, ce qui serait fâcheux.
Les concessionnaires du chemin de fer désirent vivement l'occupation militaire... Il a pris le texte de ma
dépêche, nous aurons la réponse ce soir. Si la colonne
fait d'abord sauter un village, la panique va commencer dans toute la région... "

Claude regardait le chemin, entre la natte à peine
soulevée et la fenêtre sans vitre. Personne. Ce médecin
siamois allait-il venir enfin? Les palmes disparaissaient
dans le ciel d'un bleu incandescent d'éclairage au mer-
cure; le soleil se plaquait sur le sol avec une telle force
que toute vie en semblait arrêtée. Ce n'était plus la
transe de la forêt, mais la possession lente de la terre
et des hommes par la chaleur, l'établissement d'une
implacable domination. Projets, volonté se volatili-
saient en elle; au fur et à mesure qu'avec le silence
retombé elle envahissait la pièce, une autre présence
montait du flamboiement blanc du sol, des animaux
endormis, de l'immobilité des deux hommes réfugiés
dans cette ombre surchauffée : la mort. En face de
l'Anglais, Perken avait eu beaucoup plus besoin de
répondre que de comprendre; ensuite il s'était efforcé
d'agir, différant ainsi le retour de cette pensée qui
l'entourait comme l'éblouissement solaire. Elle le
rejoignait enfin.

La tranquille affirmation du médecin ne le convain-
quait pas, et, quoi qu'il en eût dit, ses propres sensations, maintenant qu'il s'efforçait de les saisir plus
lucidement, ne le convainquaient pas davantage. Il
avait l'habitude des blessures; la fièvre, la souffrance
intermittente qui lui tordait le genou, il les connaissait : c'était là, dans cette sensibilité d'abcès, dans ces
réflexes de la chair tuméfiée qui s'écarte nerveusement
du plus léger objet, qu'était son mal; là et non dans
quelque empoisonnement du sang dont il ne souffrait
pas. Seule luttait contre l'affirmation de la plaie l'affir-

mation des hommes : sur ce médecin siamois, il semblait qu'il dût conquérir sa vie.

A peine fut-il entré que tout cela s'effondra avec
une secousse de réveil : son indifférence profession-
nelle suffit à détruire ce monde de défenses. Perken se
sentit brutalement séparé de son corps, de ce corps
irresponsable qui voulait l'entraîner dans la mort. Le
médecin défit le pansement et considéra la plaie,
accroupi à la siamoise au bord du lit; Perken énumérait
les symptômes qu'il avait fait connaître au médecin
anglais. Le Siamois ne répondait rien, palpant toujours
avec une adresse extrême. Perken était saturé d'impa-
tience, mais sans angoisse : de nouveau en face d'un
adversaire, cet adversaire fût-il son propre sang.

— Monsieur Perken, en venant, j'ai rencontré le
Docteur Blackhouse. C'est un homme... impur, mais
c'est un médecin expérimenté. Il m'a dit avec son
mépris d'Anglais — comme si j'ignorais cette maladie
— que c'était une arthrite suppurée. Je la connais
par les manuels, elle a été répandue pendant la guerre
européenne; mais je ne l'ai pas encore rencontrée. Les
symptômes sont ceux que vous présentez. Pour lutter
contre une maladie infectieuse de cette nature, il faudrait pratiquer l'amputation. Mais ici, dans l'état actuel
de la science... "

Perken leva les mains, coupant le discours. Ce
charabia d'occidentalisé lui rappela que la prudente
confirmation de sa mort lui était donnée dans l'attente
d'une juste rétribution. Il paya; l'homme partit. Il le
suivit du regard, — comme une preuve.

Il croyait à la menace plus qu'à la mort : à la fois
enchaîné à sa chair et séparé d'elle, comme ces hommes
que l'on noyait après les avoir liés à des cadavres. Il
était si étranger à cette mort aux aguets en lui qu'il se
sentait de nouveau en face d'un combat : mais le regard
de Claude le rejeta dans son corps. Il y avait en ce regard

une complicité intense où se heurtait la poignante
fraternité du courage et la compassion, l'union animale
des êtres devant la chair condamnée; Perken, bien
qu'il s'attachât à lui plus qu'il ne s'était attaché à aucun
être, sentait sa mort comme si elle lui fût venue de lui.
L'affirmation impérieuse était moins dans les paroles
des médecins que dans les paupières que Claude venait
instinctivement d'abaisser. L'élancement du genou
revint, avec un réflexe qui contracta la jambe : un
accord s'établit entre la douleur et la mort, comme
si l'une fût devenue l'inévitable préparation de l'autre;
puis la vague de douleur se retira, emportant avec elle
la volonté qui lui avait été opposée, et ne laissa que la
souffrance ensommeillée, à l'affût : pour la première
fois se levait en lui quelque chose de plus fort que lui,
contre quoi nul espoir ne prévalait. Contre cela aussi,
il fallait pourtant lutter...

     " Ce qui est étonnant, Claude, dans la présence de
la mort, même... lointaine, c'est qu'on sait tout à coup
ce qu'on veut, sans hésitation possible... "

     Ils se regardaient, soumis à ce lien silencieux qui
plusieurs fois déjà les avait unis. Perken s'était assis
sur le lit, la jambe étendue; son regard était redevenu
précis, mais chargé de conscience, comme si cette
volonté ne se fût pas encore dégagée des regrets qu'elle
traînait avec elle. Claude cherchait à le deviner.

     — Tu veux remonter avec la colonne?

     Perken hésita de surprise; il n'y avait pas songé.
Les Stiengs, dans son esprit, n'avaient pas participé
à sa mort...

     — Non : maintenant, j'ai besoin des hommes. Il
faut que je remonte dans ma région. "

     Et soudain, Claude découvrit combien Perken était
plus vieux que lui. Ni au visage, ni à la voix : il semblait
que les années pesassent sur lui comme une foi : irré-
médiablement différents, d'une autre race...

— Et les pierres?

— Maintenant, il n'y a rien de pire que ce qui était l'espoir... "

Parviendrait-il seul, jusqu'à ses montagnes?...

Rien n'empêchait plus Claude d'atteindre Bangkok.

Rien, sinon la présence de la mort.

— J'irai avec toi. "

Silence. Comme pour se délivrer de l'empire des rares unions humaines, tous deux regardaient la fenêtre, éblouis par la lumière du dehors qui scintillait sous la natte. Les minutes passaient, brûlées par le soleil immobile. Claude pensait aux pierres abritées sous les toits des charrettes, vidées de la vie qui les avait si furieusement opposées à lui. S'il les laissait au poste, il les retrouverait. Et ne les retrouvât-il pas... " Pourquoi ai-je décidé d'aller avec lui? " Il ne pouvait pas l'abandonner, le livrer à la fois à cette humanité dont il le sentait à jamais séparé, et à la mort. L'exercice de cette puissance qu'il ne connaissait pas l'attirait comme une révélation; surtout, c'était de telles résolutions, d'elles seules, qu'il nourrissait le mépris qui le séparait de toutes les acceptations des hommes. Vainqueur ou vaincu, il ne pouvait en un tel jeu que gagner en virilité, qu'assouvir ce besoin de courage, cette conscience de la vanité du monde et de la douleur des hommes qu'il avait si souvent vus, informes, chez son grand-père...

La natte s'écarta sans bruit, jetant dans la pièce un tourbillon d'atomes triangulaires; il lui sembla que ses raisons se perdaient, légères et dérisoires, dans cette masse d'air; qu'il ne connaîtrait jamais, de lui-même, que sa volonté.

Pieds nus, un indigène apportait un télégramme,

la réponse provisoire reçue par le chef du poste :
" *Préparez cantonnements, base d'action colonne répression
huit cents hommes mitrailleuses.* "

— Huit cents hommes, dit Perken. Ils veulent
pacifier la région... Jusqu'où?... Même si je ne l'avais
pas choisi, il faudrait que je retourne là-haut... Et ils
emportent des mitrailleuses, eux... "

Xa rentra.

" Missieu, y en avoir femmes... "

— Moyen trouver pour moi aussi? demanda
Claude.

— Moyen.

Tous deux sortirent.

Deux femmes se tenaient à droite de la porte. La
même hostilité arrêta Perken devant les fleurs de la
plus petite et devant son visage aux lèvres douces; il
détestait maintenant la langueur. Il fit signe à l'autre
de venir, avant même de l'avoir regardée. La petite
partit.

L'air était suspendu comme si le temps se fût arrêté,
comme si le tremblement des doigts de Perken eût
seul vécu dans le silence soumis à l'immobilité asiatique
de ce visage au nez courbe et fin. Ce n'était ni le désir,
ni la fièvre, bien qu'il sentît à l'intensité de ce qui
l'entourait qu'elle montait : c'était le tremblement du
joueur. Ce soir, il ne craignait pas l'impuissance; mais,
malgré l'odeur humaine dans laquelle il plongeait, il
était repris par l'angoisse.

Elle s'étendit, déshabillée, son corps sans poils et
flou dans la pénombre marqué par l'infime naissance
du sexe et les yeux auxquels il restait attaché, pas encore
las d'y chercher en vain la prenante déchéance de la
nudité. Elle les ferma pour fuir la domination qui
naissait de ses sentiments inexplicables; habituée au
désir des hommes, mais fascinée par l'atmosphère
qui naissait, dans cet absolu silence, du regard qui ne

quittait plus le sien, elle attendait. Contrainte par les
coussins à desserrer légèrement les jambes et les bras,
la bouche entrouverte, elle semblait créer son propre
désir, appeler l'assouvissement par la lente ondulation
de ses seins. Leur mouvement envahissait la chambre :
répété, semblable à lui-même, plus actif chaque fois
qu'il recommençait. Il descendit en vague, remonta
peu à peu; les muscles se tendirent, et tous les creux
d'ombre s'élargirent. Dès qu'il passa le bras sous elle,
et qu'elle dut l'aider, il sentit que la crainte la quittait;
elle prit appui sur sa hanche pour se déplacer légèrement : l'accent jaune de la lumière, une seconde,
entoura la croupe comme un coup de fouet, disparut
entre les jambes. La chaleur de son corps le pénétra.
Soudain elle mordit ses lèvres, accentuant à l'extrême,
par cette infime intervention de sa volonté, l'impossibilité où elle était de réprimer l'ondulation de sa poitrine.

A dix centimètres du visage aux paupières bleuâtres,
il le regardait comme un masque, presque séparé de
la sensation sauvage qui le collait à ce corps qu'il
possédait comme il l'eût frappé. Tout le visage, toute
la femme étaient dans sa bouche tendue. Soudain les
lèvres gonflées s'ouvrirent, tremblant sur les dents, et,
comme s'il fût né là, un long frémissement parcourut
tout le corps tendu, inhumain et immobile comme la
transe des arbres sous la grande chaleur. Le visage
ne vivait toujours que par cette bouche, bien qu'à
chaque mouvement de Perken correspondît un grattement de l'ongle sur le drap. Sous le frémissement
devenu intense, le doigt, tendu dans le vide, cessa de
toucher le lit. La bouche se ferma comme se fussent
abaissées des paupières. Malgré la contraction des
commissures des lèvres, ce corps affolé de soi-même
s'éloignait de lui sans espoir; jamais, jamais, il ne
connaîtrait les sensations de cette femme, jamais il ne

trouverait dans cette frénésie qui le secouait autre
chose que la pire des séparations. On ne possède que
ce qu'on aime. Pris par son mouvement, pas même
libre de la ramener à sa présence en s'arrachant à elle,
il ferma lui aussi les yeux, se rejeta sur lui-même comme
sur un poison, ivre d'anéantir, à force de violence,
ce visage anonyme qui le chassait vers la mort.

QUATRIÈME PARTIE

I

ENCORE les nuits et encore les jours — la mort à côté, comme Claude, — dans la chaleur et les moustiques qui semblaient monter de ce genou lancinant; roulé à travers la forêt par cette torpeur, par cette irrégulière alternance des clairières déchirées et de la végétation qui remplaçait celle du jour et de la nuit, par ce monde où maintenant les nuits s'allongeaient comme les feuilles, — où le temps même pourrissait. Les déchirures se rapprochaient, comme si la forêt enfin arrachée eût laissé place à la lumière; mais Perken savait que c'était la grande vallée, qu'une nouvelle vague de forêt retomberait sur son corps fixé, sur sa volonté saccagée où l'espoir se perdait dans les hurlements des chiens sauvages, dans l'atroce chaleur des piqûres d'insectes. Il avait fait retirer un moment son soulier : la chair était grenat, piquée jusqu'à la limite du cuir comme par un tatouage. Sur la douleur, les démangeaisons, la pourriture, sur le cri sans fin des singes et les branches tordues qu'il retrouvait devant chaque trou de forêt depuis qu'ils remontaient vers le Laos, vers *sa* région, la vie des Stiengs chassés emplissait les profondeurs dont elle n'émergeait pas, comme une suprême décomposition. Les jarres remises, Grabot restitué, dirigé sur l'hôpital de Bangkok, la colonne de répression, emportant ses hommes blessés par les lancettes et les pièges, avait marché sur le village, fait sauter la porte et nettoyé les cases à coup de grenades : il n'en restait qu'un charnier, des cochons noirs en quête parmi des jarres pulvérisées, des ventres couverts d'animaux... Les Stiengs en fuite balayaient les villages ; la colonne qui les suivait perdait beaucoup d'hommes dans la haute forêt, par le poison des blessures surtout : les miliciens traitaient les malades abandonnés par les grenades, les blessés par les baïonnettes. La migration creusait la forêt comme la lente ruée des animaux vers les points d'eau ; elle la remontait vers l'Est sans troubler sa surface froncée, mais, au soir, de longues lignes de feux dans l'air immobile, droites, indiquaient l'arrêt de la marche épique des tribus sur la fuite sans fin des arbres.

Quelques jours après que Claude et Perken avaient quitté le bourg siamois, les feux avaient commencé à apparaître ; plus nombreux chaque nuit à mesure qu'ils approchaient à la fois de la région de Perken et des travaux du chemin de fer, ils barraient l'horizon, maintenant, à chaque nouvelle déchirure de la forêt. Invisible dans la nuit pleine de cigales, la colonne, et derrière la colonne, le gouvernement du Siam... "Les hommes comme moi doivent toujours jouer d'un État", avait dit Perken. L'État était au fond de cette obscurité, chassant devant lui les tribus animales avant de chasser les autres, allongeant de kilomètre en kilomètre la ligne de son chemin de fer, enterrant d'année en année, toujours un peu plus loin, les cadavres de ses aventuriers. Le jour, quand apparaissaient les fumées aussi nettes que les troncs, la jumelle découvrait entre elles, sur le ciel, des crânes peints en rouge. Ces feux dont le crépitement semblait étouffé par l'immensité, quand atteindraient-ils le chemin qui permettait de passer ? La percée de la ligne du chemin

de fer, très loin en arrière, lançait son phare vers le
ciel dès que les fumées commençaient à se perdre dans
les ténèbres, comme si la grande fuite des Moïs, leur
moutonnement de bétail en transhumance sous les
feuilles eût trouvé son centre dans le triangle lumineux
projeté sur le ciel par les blancs. A travers une nouvelle
déchirure des arbres, un paysage profond commençait
à se creuser, comme vu d'un avion, sans rien qui
rattachât au sentier ses lignes plongeantes, ses lointains saturés d'un bleu épais. Le soleil qui se perdait
dans ce fond y frissonnerait comme dans l'eau, masse
vitreuse sur les crêtes, poussière autour des palmes.
Au loin — quelques cloches blanches bouddhiques
dans la verdure noire, — annonciateur des territoires
de Perken, Samrong, le premier village laotien allié,
le premier dont il connût le chef. Devant lui, les fumées
montaient dans l'immensité qu'elles agrandissaient
encore, et leur avance se liait si directement à la vie de
la forêt qu'elle semblait invincible, venue de la terre
et non des hommes, comme un incendie ou une marée.

"Pourquoi diable marchent-ils sur le village, où les
guerriers sont armés? Il faut qu'ils y soient obligés...

— La famine? demanda Claude.

— La colonne les a abandonnés maintenant : il est
entendu qu'elle ne dépassera pas la rivière. Au-delà,
c'est la région de Savan, et au-delà, la mienne.

La rivière en U brillait là-bas, incandescente, seule
blanche dans le gouffre bleu.

"Il faudrait aider Savan à défendre son village...

— Dans ton état?

— En suivant la crête, nous serons là-bas bien
avant eux. Un jour de retard, au plus...

Il regardait toujours le village et la forêt, mais, bien
qu'il rongeât furieusement ses ongles pour ne pas se
gratter, son regard se perdait. Claude comprenait trop
bien la fraternité qui l'attirait là pour insister. Et

l'anxiété le faisait taire : ainsi que s'ils fussent nés des
hautes fumées qui avançaient inexorablement à travers
l'étendue, comme les génies de la forêt, des coups
frappés l'un après l'autre se perdaient dans le grand
silence ensommeillé; trop faibles pour emplir cet enfer
de lumière, ils y disparaissaient comme les rares oiseaux
qui retombaient dans la masse des arbres dès qu'ils en
sortaient, avec une trajectoire de pierres, épouvantés
par l'oppression du soleil; les intervalles réguliers qui
séparaient ces coups perdus dans la lumière leur donnaient
le caractère d'une annonce solennelle frappée dans une
planète lointaine. Claude se souvint du son du pied-
de-biche sur la pierre.

— Écoute...

— Quoi?

Il n'écoutait que la descente de sa douleur. Il cessa
de respirer. Un... deux... trois... quatre... Les coups se
rapprochaient, nets mais sourds, presque spongieux;
la lente marche des fumées en accentuait l'accélération.

— Ce sont des hommes, reprit Claude. Est-ce qu'ils
construiraient une espèce de retranchement?

— Les Moïs? Ce ne sont pas eux : les fumées avancent toujours, et le bruit est bien plus près de nous.

Perken essayait d'orienter sa jumelle grâce au son,
mais en vain : le brouillard bleu de la chaleur, sans
masquer la forêt, en voilait les formes; les élancements
de son genou se déclenchaient en lui comme des coups
de cloche, un à un, sans s'accorder aux coups lointains,
et aucune forme humaine n'apparaissait sur cette
nature haineuse qui semblait susciter elle-même ces
fumées et cet inexplicable martèlement. En bas, un
point étincelant parut, comme un éclat de soleil sur
une vitre.

Il n'y avait pas d'eau par là.

Il regarda de nouveau, arrêta la charrette, regarda
encore. Son pied douloureux et mort à la fois cachait

la lumière; il se souleva, ne tentant pas même d'écarter
cette chair séparée de lui, — comme s'il eût pu souffrir
dans la chair d'un autre. Maintenant, il voyait. Claude
tendait la main, mais Perken ne lui passait pas les
jumelles. Le point étincelant montait et descendait,
intermittent comme le crépitement des coups qui semblaient naître de lui. Perken laissa retomber sa main.
Claude voulut prendre les jumelles, qu'il ne lâchait
pas; il desserra enfin ses doigts.

" — La rivière est pourtant là-bas? dit-il.

Claude fixait du regard le point lumineux : marmite,
objet de campement? loin *en avant* de la rivière. Tout
près, des lignes minces, croisées, des formes humaines,
des surfaces géométriques plus grandes. Celles-là, il
les connaissait : des tentes. Les lignes croisées étaient
des faisceaux. Lui aussi regarda de nouveau la rivière :
elle était loin en arrière, fort loin. Et un nouveau point
lumineux s'alluma en avant, suivant les fumées des
Moïs.

" La colonne? demanda Claude.

Perken se taisait. Enfin :

— Pour ceux-là aussi, je suis déjà mort...

Il regardait alternativement sa jambe et cette
lumière, avec une sorte d'horreur. Le regard abandonna la jambe. Ces maillets de bois qui résonnaient
à travers l'étendue en frappant les piquets de ses tentes
comme des barriques sonores, dominaient peu à peu, à
mesure que le son s'étendait, les fumées, la forêt même,
tout ce qui s'écrasait sous le soleil; la volonté des
hommes reprenait ici sa place de commandement, au
service de la mort. Malgré la douleur, il se sentait
furieusement vivant contre cette affirmation de sa
déchéance. De nouveau, combattre. Et pourtant, tout
ce qu'il avait fait était devant lui comme son propre
cadavre. Avant une semaine la colonne pouvait être
chez lui, et sa vie n'aurait été qu'une attente vaine.

Les faisceaux étaient là. La colonne avançait, indifférente au grand coude de la rivière d'où montait une
phosphorescence bleuâtre de lumière électrique. Les
tentes étaient là. Et pourtant il n'éprouvait pas de
certitude, mais une anxiété plus écœurante, semblable
à ces demi-pertes de conscience qui précèdent les
vomissements. Attentif avant tout, contre sa volonté,
à la douleur qui montait et descendait comme un
bateau, il retrouvait la colonne et la mort dans son
soulagement; attachées l'une à l'autre, avançant toutes
deux vers leur but comme les grandes fumées.

"Il se peut, pensa-t-il, que faire sa mort me semble
beaucoup plus important que faire sa vie..."

Il leva les jumelles sur le village qui reparut avec
une netteté surprenante, entre les deux masses troubles
des souliers.

Dans sa vie qui dévalait maintenant en précipice, ce
village s'enfonçait comme une pierre à laquelle il devait
s'accrocher — comme celles du temple. Et les jumelles
revenaient, d'elles-mêmes, vers la colonne. Mais les
deux vagues se suivaient, et il faudrait combattre les
Stiengs d'abord.

"Chez Savan aussi, nous serons un bon moment
avant eux...

— Tu as une grande confiance en ce type?

— Non : je ne suis sûr que des chefs du Nord.
Nous n'avons pas le choix..."

II

Les coups de feu de plus en plus précipités, mêlés maintenant aux échos, entouraient Samrong et ses cloches bouddhiques de leurs points intermittents, à l'exception d'une tache noire. A l'intérieur de leur courbe presque fermée, les cigales nocturnes, la lueur roussâtre d'un fanal : la paix laotienne, pesante, emprisonnée.

— Toujours rien, Claude, en bas?

Perken ne pouvait plus se lever.

Claude reprit les jumelles :

" Impossible de rien voir... "

Il n'avait pas reposé la lorgnette que la lueur courte d'un nouveau coup de feu parut, tout près d'une cime; un écho répercuta la détonation, un ton plus haut. Un nouveau coup. Leur lueur semblait sale, si près des étoiles.

— Est-ce que les Stiengs auraient encerclé le village?

— Impossible ".

Perken montra du doigt une colline indistincte :

" Nos guetteurs ne tirent toujours pas par là; donc ils ne tentent pas de monter.

— Moïs savoir y en avoir mitrailleurs du côté travaux du chemin de fer ", dit Xa.

Les feux tremblotaient comme des flammes rougeâtres, au-delà des coups de fusil. Perken ne cessait

de les regarder; où ils luisaient, la colonne n'était pas
encore parvenue. Une forme passa dans le champ de
la jumelle, très près, cachant celle que Perken exami-
nait.

— Qui va là?

Allongé sur un bat-flanc, il dominait le jardin de la
hauteur des pilotis. La forme disparut. Il tira dans sa
direction, au hasard, guettant un cri. Rien.

" C'est la seconde fois...

— Depuis que tu leur as conseillé d'arrêter la
colonne, répondit Claude, les choses se gâtent... Tant
qu'il ne s'agissait que de les aider contre les Stiengs...

— Tas d'abrutis!

Les guetteurs postés par Perken tiraient beaucoup
plus maintenant : c'était le flot des Stiengs qui avaient
lutté contre la colonne qui venait battre le village.

— Tu es sûr de ce que tu leur dis? Je crains que
s'ils envoient des parlementaires, le chef de colonne
ne s'en fiche, et que s'ils tirent, on ne riposte avec les
mitrailleuses...

— Les instructions ne permettent pas à la colonne
de lutter contre eux. Ils sont bouddhistes, sédentaires,
armés comme mes hommes. On négociera. Mais s'ils
laissent entrer les miliciens sans conditions, on " admi-
nistrera " comme disent les Siamois. Il n'y a que Savan
qui comprenne cela... mais son autorité de chef devient
aussi tremblotante que ces coups de fusil... Il n'y a pas
à discuter : s'ils entrent ici, le chemin sera ouvert
jusque chez moi : je ne tiens fortement que les chefs
du Nord... "

L'odeur sauvage des feux passa, portée par la
nuit.

" Ce n'est pas seulement pour organiser leur défense
contre les Stiengs que nous nous sommes arrêtés! "

Les coups de fusil de plus en plus nombreux nour-
rissaient par leur rythme de mitrailleuse au ralenti

l'obsession de Perken; ils paraissaient et disparaissaient, accentuant la constance des feux immobiles. De nouveaux feux s'allumèrent : au fur et à mesure que le tir de barrage se précipitait, ils apparaissaient, lointains et fixes, sur plusieurs rangs de profondeur; mais sous l'éclat rapide de la poudre, leur immobilité était si solennelle qu'elle semblait indifférente au combat, née de la chaleur et de la nuit.

— Crois-tu qu'ils puissent se réunir pour donner l'assaut? demanda Claude.

— Ils sont maintenant très nombreux : regarde les feux...

Perken réfléchit.

" Ils prendraient certainement le village. Mais ils sont bien incapables de s'unir. Mes hommes, et les chefs que je voulais réunir, sont des Laotiens bouddhistes comme les gens de cette région-ci, et les maintenir ensemble est déjà presque impossible. Ajoute que les Stiengs attaquent toujours les passages, forcément. On donne mal un assaut devant des cadavres anciens, on le prépare mal dans leur odeur. C'est surtout la famine qui les pousse, en ce moment. Demain, ils auront de nouveau la colonne sur les reins... "

Il réfléchit encore.

" Nous aussi... "

La fusillade reprit, diminua de nouveau, comme une courbe sur les feux. Un homme sortit de l'ombre à l'entrée de la case, ses pieds nus touchant les barreaux de l'échelle comme des mains, sans un bruit. Dans la lumière trouble du photophore, la tache claire s'élevait : tête, buste, jambe. Un messager. Perken se souleva, grimaça de douleur, retomba. La montée de la douleur était en lui si dominatrice que, pour ordonner, il en guettait l'affaiblissement, comme la descente d'un être vivant. L'homme déjà parlait rapidement, par phrases courtes, avec le ton de ceux qui récitent.

Claude devinait qu'il avait appris par cœur ses phrases
siamoises, et regardait Perken, comme s'il eût pu comprendre plus aisément le silence d'un Européen.
Perken cessa de considérer l'homme, qui parlait toujours; les paupières abaissées, il eût semblé endormi
sans l'imperceptible frémissement de ses joues. Soudain il leva les yeux.

— Qu'y a-t-il? demanda Claude.

— Il dit que les Stiengs savent que je suis ici et que
c'eſt pour cela qu'ils attaquent et reviennent. D'ailleurs
nous sommes des ennemis moins dangereux que la
colonne... "

La fusillade venait de s'arrêter; le messager repartit,
accompagné de Xa.

" Le village n'eſt pas encerclable... Nous avons les
fusils... "

On entendit le double écho de deux coups de feu;
le silence retomba.

... " Il dit aussi que des ingénieurs du chemin de fer
sont avec la colonne...

Claude commençait à comprendre.

— Mais ils travaillent aĉtivement là-bas! ils ont
fait sauter au moins dix mines dans la journée...

— Chacune de ces explosions tombe sur moi comme
une engueulade... Ils avancent, il n'y a pas de doute...
S'ils viennent ici...

— Changer leur tracé maintenant?

Perken ne fit aucun geſte; il regardait l'ombre,
devant lui, sans bouger.

— Passer chez moi leur ferait faire de sérieuses
économies... Je pense qu'ils sont pleins de courage :
les Moïs filent comme des bêtes. Ils ne passeront pas
là-bas, même en colonne. "

Claude ne répondit pas.

" ... Même en colonne... ", répéta Perken.

Il se tut encore.

“ Avec trois mitrailleuses, seulement trois mitrailleuses, ils n'auraient jamais pu passer... ”

La fusillade reprit, faible, s'arrêta de nouveau.

“ Ils vont se tenir tranquilles : voici le jour... ”

— Savan doit venir au lever du soleil?

— Je le pense... Tas d'imbéciles! S'ils laissent venir la colonne...

III

Savan gravit l'échelle. Plusieurs aubes passeraient-elles encore avant la catastrophe? Perken regardait ses cheveux gris en brosse, ses yeux inquiets, son nez de Bouddha laotien, qui s'élevaient dans l'encadrement de la porte : depuis que la mort était en lui, les êtres perdaient leur forme. Ce chef qu'il connaissait existait moins à ses yeux, individuellement, que le vieux chef du village Stieng. Pourtant, ces mains déjà prêtes à la discussion... Un homme bon seulement pour parler. D'autres têtes parurent, superposées : des hommes le suivaient. Tous entrèrent. Savan hésitait : il n'aimait pas à s'accroupir devant les blancs, et détestait s'asseoir. Il resta debout, considéra ses pieds avec attention, ne dit rien. Chacun attendait. Ce silence asiatique exaspérait Claude; Perken en avait l'habitude, mais il le supportait plus douloureusement depuis qu'il était blessé : les attentes lui faisaient éprouver avec violence son immobilité. Il se décida le premier :

" — Si la colonne vient ici, vous savez ce qui va se passer.

Maintenant, on commençait à distinguer la fuite des pentes, jusqu'à l'horizon; à quelques centaines de mètres, des crânes accrochés à des arbres solitaires sortaient de la nuit. Le vent de l'aube inclinait les cimes, et les grandes vagues de végétation qui se répétaient de colline en colline semblaient continuer son mouvement, portées par la fuite invisible des tribus. Une mine sauta. Ils ne voyaient pas la percée du chemin de fer, de l'autre côté de la case; mais aussitôt après le grondement qui emplit la vallée, ils entendirent le bruit de chute des pierres et des quartiers de rocs, en pluie.

"Après-demain, la colonne sera là. Je vous répète que si le village résiste, avec les armes à feu que vous possédez, elle remontera vers le Nord. Sinon, le chemin de fer passera ici. Voulez-vous vous soumettre aux fonctionnaires siamois?

Savan répondit par un geste négatif mais plein de méfiance.

— Il est plus facile de combattre une colonne qui n'a pas reçu l'ordre de vous attaquer que de combattre les troupes régulières venues par la voie ferrée... "

"Mais d'ici-là, dit-il en français à Claude, je serai peut-être mort... "

Saisissant accent : de nouveau, il croyait à sa vie.

Des indigènes entraient un à un, s'accroupissaient dans la case. Ils ne parlaient pas siamois entre eux, et Perken ne comprenait pas leur dialecte, mais leur hostilité était visible. Savan les montra du doigt.

— Ils ont d'abord peur des Stiengs.

— Contre les fusils, les Stiengs n'existent pas! "

Le doigt du chef, resté en l'air, se tourna vers la forêt. Perken prit ses jumelles, regarda les arbres : au sommet des plus grands, des hampes montaient une à une, surmontées de boules grossières : les Stiengs ne fuyaient plus. A défaut de fétiches peu nombreux, tout un monde de crânes, d'animaux tués à la chasse surgissait de la forêt, inscrivait la menace de la sauvagerie sur le ciel du matin, comme si un foisonnement d'os nés du crâne de gaur fût descendu jusqu'à la rivière, en fuite lui aussi, dans une prolifération d'insectes. Cages thoraciques, crânes, et jusqu'à des peaux

de serpents se balançaient là-haut, d'une blancheur de
craie, soudaine affirmation de la famine dont les remous
torturaient la migration des sauvages. Et sur la droite,
tout près de la rivière, obsédant, un des fétiches qui
figurent les pleureuses des morts, d'une douleur
inconnue aux civilisés, surmonté d'un crâne humain
entouré de petites plumes. Perken abaissa ses jumelles :
de nouveaux indigènes entraient dans la case. Deux
portaient des fusils, qui brillaient vaguement : il se
souvint de la case où pendait la veste de Grabot.

" — Vous jouez votre vie à tous : si vous envoyez
des parlementaires et tirez sur la colonne, elle n'in-
sistera pas; je connais ses instructions. Et elle peut
prendre les Stiengs à revers. Sinon... "

Plusieurs des assistants comprenaient le siamois.
Une protestation véhémente, une sorte d'aboiement,
coupa sa phrase. Savan hésita, se décida :

— Ils disent que c'est ta faute si les Stiengs nous
attaquent.

— Ils vous attaquent parce qu'ils crèvent de faim. "

Tous, maintenant, regardaient Savan, qui hésita de
nouveau, se décida enfin :

— Que, sans toi, ils nous laisseraient.

Perken haussa les épaules.

— Et qu'ils veulent que tu t'en ailles. "

Perken frappa le bat-flanc du poing. Tous les indigènes accroupis se relevèrent avec un bond de grenouilles : les deux Laotiens aux fusils mettaient les
blancs en joue.

— Ça y est, pensa Claude. Idiotie !

Perken regardait au-delà des têtes menaçantes : Xa,
pourtant, n'était pas dans la case.

— S'ils bougent, cria-t-il, le regard porté derrière
les assistants, tire ! "

Sans abaisser leur fusil, ils se retournèrent le plus
vite possible. Deux coups de feu : Perken venait de

tirer à travers sa poche. La secousse fut si douloureuse
qu'il crut une seconde avoir tiré dans son genou : mais
l'un des Laotiens basculait; l'autre, debout, son fusil
lâché, pétrissait à deux mains son ventre, la bouche
ouverte, avec les yeux stupéfaits des mourants. La
fuite générale le fit basculer à son tour, les cinq doigts
dressés au-dessus des têtes en débandade. Sur le clapotement des pieds nus, le silence retomba.

Savan seul était resté.

" — Et maintenant? " dit-il à Perken.

Il attendait, résigné, la venue des catastrophes
qu'amenait toujours avec elle, plus ou moins tôt, la
folie des blancs. Le monde de bouddhisme et de nonchalance dans lequel il vivait semblait l'entourer; au-
dessus des deux corps en chien de fusil dont le sang
coulait sans le moindre bruit, il restait debout, le
regard perdu, immobile comme une apparition devant
la place désertée. " Ceux qui criaient le plus tout à
l'heure ne peuvent être que ses rivaux, pensa Perken;
il ne doit pas être fâché d'en être débarrassé... " Il les
vit soudain, devant lui, avec ce sang qui coulait d'eux,
par un trou invisible, comme d'une chose qui n'eût
jamais été vivante : bien qu'il sût qu'ils étaient là, il
avait l'impression qu'ils s'étaient enfuis avec les autres.
Morts. Et lui? Vivant? Mourant? Quels liens pouvaient
s'établir entre Savan et lui? L'intérêt et la contrainte,
il le savait. Oui, on pouvait soulever ces hommes,
mais il fallait cette révolte ou cette guerre qu'il attendait depuis des années. Savan eût-il accepté de lutter
contre la colonne, que la moitié du village se fût sans
doute enfuie. Ces alliances dont il avait attendu jadis
jusqu'au sens de sa vie lui paraissaient soudain fragiles
comme ce Laotien hésitant avec qui il n'avait jamais
combattu. Contre l'envahissement des blancs, contre
la colonne, contre ces mines qui ébranlaient les vallées,
il ne pouvait compter que sur des hommes à qui il

était humainement lié, sur des hommes pour qui le
loyalisme existait : les siens. Et même ceux-là... sans sa
blessure, jamais des Laotiens n'eussent osé le mettre en
joue. S'il était diminué à leurs yeux, il ne l'était pas
encore aux siens; ces deux-là venaient de le voir. Il
releva la tête vers Savan : leurs regards se rencontrè-
rent et il vit, comme si le chef eût parlé, qu'il était
pour lui un condamné. Pour la seconde fois, il ren-
contrait sa mort dans le regard d'un homme; il éprouva
furieusement le désir de tirer sur lui, comme si le
meurtre seul eût pu lui permettre d'affirmer son existence, de lutter contre sa propre fin. Il allait retrouver
ce regard dans les yeux de tous ses hommes; cette
sensation démente d'empoigner la mort, de la combattre comme un animal, qui venait de le frapper lorsqu'il avait pensé tirer sur Savan, s'étendait en lui avec
une puissance de crise. Son pire adversaire, la déchéance,
il allait le combattre dans l'âme de chacun de ses
hommes. Il se souvint d'un de ses oncles, hobereau
danois qui après mille folies s'était fait ensevelir sur
son cheval mort soutenu par des pieux, en roi hun,
attentif durant son agonie à chasser par la volonté de
ne pas crier une seule fois, malgré l'appel de tous ses
nerfs, l'effroyable épouvante qui secouait ses épaules
comme une danse de Saint-Guy...

" — Je vais partir. "

IV

Plus de villages : contre le ciel, les premières des montagnes dont Perken attendait sa délivrance; en bas, la
rivière. A la surface de la forêt, le vol lourd des oiseaux
et des papillons glissait en reflet; mais devant les Moïs
que la colonne rabattait jusqu'à l'horizon, les petits
animaux, les singes surtout, fuyaient avec une panique
d'incendie. Ils passaient la rivière par centaines, semblables à des tourbillons de feuilles lorsqu'ils arri-
vaient, à des chats lorsqu'ils s'arrêtaient au bord, la
queue en l'air. Un gros s'agitait au milieu de l'eau, sur
une pierre sans doute : à la jumelle, Claude le voyait
très distinctement, occupé à arracher de son dos, avec
un air de chien mouillé, les petits qui s'y crampon-
naient. Sur l'autre rive ils disparaissaient en coup de
vent dans des claquements de branches, et leur fuite
apparue entre les deux rives de la forêt reliait l'eau
éblouissante à la grande courbe de l'exode des tribus.

Les feux, allumés maintenant toute la journée, tendaient sur les pentes des écharpes de fumée; même la
grande lumière de midi, en ce moment, ne les résor-
bait pas; elles avançaient peu à peu à mi-chemin des
montagnes, vers le sentier que suivaient les blancs,
sans le moindre vent : une avance humaine, comme le
piétinement assourdi d'une armée. La fumée de chaque
nouveau feu, plus menaçante que la précédente par
sa position, montait verticalement, épaisse, avant que

son panache désagrégé ne rejoignît l'écharpe; et Claude
regardait à un kilomètre en avant, angoissé, attendant
qu'une nouvelle fumée montât, comme un tour de
clef dans une serrure.

" — Celle-ci va devenir un feu. Encore une et nous
ne passons plus. "

Perken ne rouvrait pas les yeux :

— Il y a des moments où j'ai l'impression que cette
histoire n'a aucun intérêt, dit-il comme pour lui-même,
entre ses dents.

— D'être coupé?

— Non : la mort.

Au-delà des montagnes, le territoire de Perken
défendu par elle, écrasé par la solitude de ses crêtes
sans feux. De l'autre côté, le chemin de fer. Que
Perken mourût, Claude serait rejeté aux bas-reliefs qui
l'attendaient; jamais les Stiengs seuls n'oseraient attaquer la ligne.

Perken plongeait dans l'hébétude. Tout près de ses
oreilles, des moustiques croisaient leurs fins bourdon-
nements; la douleur des piqûres, transparente, recouvrait comme un filigrane celle de la blessure. Elle
montait et descendait elle aussi, envenimant la fièvre,
contraignant Perken, pour qu'il parvînt à ne pas se
toucher, à une lutte de cauchemar — comme si l'autre
douleur eût été à l'affût de lui-même, avec celle-ci
pour appeau. Un son de chair le surprit : c'étaient ses
doigts fascinés par la brûlure des insectes qui tambou-
rinaient convulsivement sur la charrette, sans qu'il s'en
fût aperçu. Tout ce qu'il avait pensé de la vie se décomposait sous la fièvre comme un corps dans la terre;
un cahot plus brutal le ramenait à la surface de la vie.
Il y revenait en cette seconde, tiré vers la conscience
par la phrase de Claude et le mouvement en avant
de la charrette, qu'il ne pouvait séparer; si faible qu'il
ne reconnaissait pas ses sensations, que cet intolérable

réveil le rejetait à la fois dans une vie qu'il voulait fuir
et en lui-même qu'il voulait retrouver. Appliquer
sa pensée à quelque chose! il essaya de se soulever
pour regarder le nouveau feu, mais avant qu'il n'eût
bougé, une mine sauta, loin devant lui : la terre
retomba avec un grand mouvement mou. Les chiens
des Moïs commencèrent à hurler.

" — Il n'y a que la colonne qui compte, Claude.
Tant que le chemin de fer ne sera pas terminé, on
pourra l'atteindre. Toutes les communications sont
en profondeur : il faudrait les couper assez loin en
arrière, isoler la tête de ligne, saisir les armes... Ça
n'est pas impossible... Pourvu que j'arrive! Saloperie
de fièvre... Quand j'en sors, je voudrais au moins...
Claude?

— Je t'écoute, voyons.

— Il faudrait que ma mort au moins les oblige à
être libres.

— Qu'est-ce que ça peut te faire?

Perken avait fermé les yeux : impossible de se faire
comprendre d'un vivant.

— Tu ne souffres de nouveau plus?

— Sauf aux cahots trop durs. Mais je suis trop
faible pour que ce soit naturel... Ça va recommencer... "

Il regarda la cime des montagnes, puis la colline où
la mine venait de sauter. Pour fixer ses jumelles, il dut
s'appuyer sur le bois de la charrette; sa tête ballottait
de droite et de gauche; enfin il l'immobilisa.

" Maintenant, je ne pourrais même plus tirer... "

Là-haut, les buffles apportaient les traverses que les
Siamois faisaient basculer et repartaient avec une
sûreté de machine, tournant autour de la dernière
comme Grabot dans sa case. Chaque traverse qui tombait sans le moindre son, comme dans un autre monde,
retentissait dans son genou. Ce n'était pas seulement
sur ses espoirs, mais sur son vrai cadavre, sur ses yeux

pourris, sur ses oreilles mangées par la terre, que
passerait cette ligne qui avançait en bélier vers les
montagnes de l'horizon. Ces chutes de bois sonore
qui ne lui parvenaient pas, il les entendait, de seconde
en seconde, dans les battements de son sang; il savait
à la fois que, chez lui, il guérirait, et qu'il allait mourir,
que sur la grappe d'espoirs qu'il était, le monde se
refermerait, bouclé par ce chemin de fer comme par
une corde de prisonnier; que rien dans l'univers,
jamais, ne compenserait plus ses souffrances passées
ni ses souffrances présentes : être un homme, plus
absurde encore qu'être un mourant... De plus en plus
nombreuses, immenses et verticales dans la fournaise
de midi, les fumées des Moïs fermaient l'horizon
comme une gigantesque grille : chaleur, fièvre, charrette, brûlures, aboiements, ces traverses jetées là-bas
comme des pelletées sur son corps, se confondaient
avec cette grille de fumées et la puissance de la forêt,
avec la mort même, dans un emprisonnement surhu-
main, sans espoir. Au-delà du chant des moustiques,
les chiens maintenant hurlaient d'un bout à l'autre de
la vallée; d'autres, derrière les collines, répondaient;
les cris emplissaient la forêt jusqu'à l'horizon, comblant
de leur profusion les espaces libres entre les fumées.
Prisonnier, encore enfermé dans le monde des hommes
comme dans un souterrain, avec ces menaces, ces feux,
cette absurdité semblables aux animaux des caves. A
côté de lui, Claude qui allait vivre, qui croyait à la vie
comme d'autres croient que les bourreaux qui vous
torturent sont des hommes : haïssable. Seul. Seul avec
la fièvre qui le parcourait de la tête au genou, et cette
chose fidèle posée sur sa cuisse : sa main.

Il l'avait vue plusieurs fois ainsi, depuis quelques
jours : libre, séparée de lui. Là, calme sur sa cuisse, elle
le regardait, elle l'accompagnait dans cette région de
solitude où il plongeait avec une sensation d'eau

chaude sur toute la peau. Il revint à la surface une
seconde, se souvint que les mains se crispent quand
l'agonie commence. Il en était sûr. Dans cette fuite
vers un monde aussi élémentaire que celui de la forêt,
une conscience atroce demeurait : cette main était là,
blanche, fascinante, avec ses doigts plus hauts que la
paume lourde, ses ongles accrochés aux fils de la
culotte comme les araignées suspendues à leurs toiles
par le bout de leurs pattes sur les feuilles chaudes;
devant lui dans le monde informe où il se débattait,
ainsi que les autres dans les profondeurs gluantes.
Non pas énorme : simple, naturelle, mais vivante
comme un œil. La mort, c'était elle.

Claude le regardait : le hurlement des chiens sauvages s'accordait à ce visage ravagé, pas rasé, aux
paupières abaissées, dont le sommeil était si absent
qu'il ne pouvait exprimer que l'approche de la mort.
Le seul homme qui eût aimé en lui ce qu'il était, ce
qu'il voulait être, et non le souvenir d'un enfant... Il
n'osait pas le toucher. Mais la tête heurta le bois de la
charrette; Claude la souleva, la cala avec le casque,
dégageant le front. Perken ouvrit les yeux : le ciel
l'envahit, écrasant et pourtant plein de joie. Quelques
branches sans insectes passaient entre le ciel et lui,
frémissantes comme l'air, comme la dernière Laotienne
qu'il eût possédée. Il ne savait plus rien des hommes,
plus rien même de la terre qui dévalait sous lui avec ses
arbres et ses bêtes : il ne connaissait plus que cette
immensité blanche à force de lumière, cette joie tragique dans laquelle il se perdait, et qu'emplissait peu
à peu le sourd battement de son cœur.

Il n'entendait plus que lui, comme si lui seul eût
pu s'accorder à la fournaise qui arrachait son âme à la
forêt, comme s'il eût seul exprimé la réponse obsé-
dante de sa blessure à ce ciel sacré. " Il me semble que
je me jouerai moi-même sur l'heure de ma mort... "

La vie était là, dans l'éblouissement où se perdait la terre; *l'autre*, dans le martèlement lancinant de ses veines. Mais elles ne luttaient pas : ce cœur cesserait de battre, se perdrait lui aussi dans l'appel implacable de la lumière... Il n'avait plus de main, plus de corps sauf sa douleur; que signifiait le mot : déchéance? Ses yeux brûlaient sous ses paupières comme des lames. Un moustique se posa sur l'une d'elles : il ne pouvait plus bouger; Claude cala sa tête avec la toile de tente, ramena son casque, et l'ombre le rejeta en lui-même.

Il se revit, tombé ivre dans une rivière, chantant à pleine gorge au-dessus du clapotement de l'eau. Maintenant aussi, la mort était autour de lui jusqu'à l'horizon comme l'air tremblant. Rien ne donnerait jamais un sens à sa vie, pas même cette exaltation qui le jetait en proie au soleil. Il y avait des hommes sur la terre, et ils croyaient à leurs passions, à leurs douleurs, à leur existence : insectes sous les feuilles, multitudes sous la voûte de la mort. Il en ressentait une joie profonde qui résonnait dans sa poitrine et dans sa jambe à chacun des battements de son sang aux poignets, aux tempes, au cœur : elle martelait la folie universelle perdue dans le soleil. Et pourtant aucun homme n'était mort, jamais : ils avaient passé comme les nuages qui tout à l'heure se résorbaient dans le ciel, comme la forêt, comme les temples; lui seul allait mourir, être arraché.

Sa main reprit vie. Elle était immobile, mais il y sentait l'écoulement du sang dont il entendait le son fluide qui se confondait avec celui de la rivière. Ses souvenirs, eux aussi, étaient là à l'affût, retenus par la demi-crispation de ces doigts menaçants. Comme le mouvement des doigts, l'envahissement des souvenirs annonçait la fin. Ils tomberaient sur lui à l'agonie, épais comme ces fumées qui venaient avec le son lointain des tams-tams et les aboiements des chiens. Il serra les dents, ivre de fuir son corps, de ne pas aban-

donner ce ciel incandescent qui le prenait comme une
bête : une douleur épouvantable, une douleur de
membre arraché s'abattit sur lui du genou à la tête.
Une galerie l'attendait, prête à s'effondrer, profondément enfouie sous la terre... Il se mordit si profondément que le sang commença à couler.

Claude vit le sang sourdre entre les dents; mais la
souffrance protégeait son ami contre la mort : tant
qu'il souffrait, il vivait. Soudain, son imagination le
jeta à la place de Perken; jamais il n'avait été si attaché
à sa vie qu'il n'aimait pas. Le sang coulait en rigoles
sur le menton comme celui de la balle, naguère, sur
le gaur, et il n'y avait rien à faire qu'à regarder ces
dents rouges qui mordaient, et attendre.

"Si je me souviens, pensait Perken, c'est que je
vais mourir..." Toute sa vie était autour de lui, terrible, patiente, comme l'avaient été les Stiengs autour
de la case... "Peut-être ne se souvient-on pas..." Il
guettait son passé autant que sa main; pourtant,
malgré sa volonté et sa douleur, il se revoyait jetant
son Colt et marchant contre les Stiengs sous la lumière
diagonale du soir. Mais cela ne pouvait annoncer sa
mort : il s'agissait d'un autre homme, d'une vie anté-
rieure. Comment vaincrait-il, en arrivant chez lui, ces
mines qui martelaient sa fièvre? La souffrance revenant,
il sut qu'il n'arriverait jamais chez lui, comme s'il l'eût
appris du goût salé de son sang : il déchirait de douleur
la peau de son menton, les dents brossées par la barbe
dure. La souffrance l'exaltait encore; mais qu'elle
devînt plus intense, et elle le transformerait en fou,
en femme en travail qui hurle pour que s'écoule le
temps; — il naissait encore des hommes par le monde...
Ce n'était pas sa jeunesse qui revenait en lui, ainsi qu'il
l'attendait, mais des êtres disparus, comme si la mort
eût appelé les morts... "Qu'on ne m'enterre pas
vivant!" Mais la main était là avec les souvenirs der-

rière elle, comme les yeux des sauvages l'autre nuit
dans l'obscurité : on ne l'enterrerait pas vivant.

" Le visage a imperceptiblement cessé d'être
humain ", pensa Claude. Ses épaules se contractèrent;
l'angoisse semblait inaltérable comme le ciel au-dessus
de la lamentation funèbre des chiens qui se perdait
maintenant dans le silence éblouissant : face à face avec
la vanité d'être homme, malade de silence et de l'irréductible accusation du monde qu'est un mourant
qu'on aime. Plus puissante que la forêt et que le ciel,
la mort empoignait son visage, le tournait de force
vers son éternel combat. " Combien d'êtres, à cette
heure, veillent de semblables corps? " Presque tous
ces corps, perdus dans la nuit d'Europe ou le jour
d'Asie, écrasés eux aussi par la vanité de leur vie, pleins
de haine pour ceux qui au matin se réveilleraient, se
consolaient avec des dieux. Ah! qu'il en existât, pour
pouvoir, au prix des peines éternelles, hurler, comme
ces chiens, qu'aucune pensée divine, qu'aucune récom-
pense future, que rien ne pouvait justifier la fin d'une
existence humaine, pour échapper à la vanité de le
hurler au calme absolu du jour, à ces yeux fermés, à
ces dents ensanglantées qui continuaient à déchiqueter
la peau!... Échapper à cette tête ravagée, à cette défaite
monstrueuse! Les lèvres s'entrouvraient.

" Il n'y a pas... de mort... Il y a seulement... *moi*...
Un doigt se crispa sur la cuisse.

... *moi... qui vais mourir...* "

Claude se souvint, haineusement, de la phrase de
son enfance : " Seigneur, assistez-nous dans notre
agonie... " Exprimer par les mains et les yeux, sinon
par les paroles, cette fraternité désespérée qui le jetait
hors de lui-même! Il l'étreignit aux épaules.

Perken regardait ce témoin, étranger comme un
être d'un autre monde.

BRODARD ET TAUPIN — IMPRIMEUR RELIEUR
Paris-Coulommiers. — France.
●5.196-V-12-1902 - Dép. lég. nº 1251, 4ᵉ trim. 59 - LE LIVRE DE POCHE

Les pages qui suivent contiennent la liste complète des ouvrages parus et à paraître dans la Série Romanesque du

LIVRE DE POCHE

qui publie chaque mois les chefs-d'œuvre français et étrangers de la littérature contemporaine, dans leur texte intégral.

Le succès sans précédent du LIVRE DE POCHE témoigne à lui seul de ses qualités.

La série romanesque qui compte déjà plus de 350 titres de premier plan est complétée par quatre autres séries :

LA SÉRIE CLASSIQUE qui a pour but de publier en version intégrale les chefs-d'œuvre du passé présentés par les écrivains modernes.

LA SÉRIE ENCYCLOPÉDIQUE dont les ouvrages apportent aux lecteurs une somme de connaissances pratiques dans les domaines les plus divers.

LA SÉRIE EXPLORATION qui groupe des récits d'aventures vécues et de voyages, permettant de mieux connaître les aspects insoupçonnés de notre planète.

LA SÉRIE HISTORIQUE enfin, dont les textes, pour être appuyés sur la documentation la plus solide, n'en restent pas moins aussi passionnants à lire que des romans.

Tous les volumes du LIVRE DE POCHE sont présentés dans un format élégant, avec une typographie claire et soignée, sous une couverture plastifiée, illustrée en quatre couleurs.

Achetez au fur et à mesure les volumes qui figurent au programme des différentes séries et vous vous constituerez, aux moindres frais, une bibliothèque incomparable.

LE LIVRE DE POCHE

VOLUMES PARUS

Volume double : (*)
Volume triple : (**)

SOMERSET MAUGHAM
17-18 Le Fil du Rasoir.
424 Archipel aux Sirènes.
521 Le Sortilège malais.

GUY DE MAUPASSANT
478 Une Vie.

FRANÇOIS MAURIAC
138 Thérèse Desqueyroux.
261 Le Nœud de Vipères.
359 Le Mystère Frontenac.

ANDRÉ MAUROIS
90-91 Les Silences du Colonel
Bramble *suivis des* Dis-
cours et *des* Nouveaux
Discours du Docteur
O'Grady.
142 Climats.
482-483 Le Cercle de Famille.

ROBERT MERLE
250 Week-end à Zuydcoote.

THYDE MONNIER
143-144 Fleuve.

NICHOLAS MONSARRAT
302-303 La Mer cruelle.

H. DE MONTHERLANT
43 Les Jeunes filles.
47 Pitié pour les Femmes.
48 Le Démon du Bien.
49 Les Lépreuses.
268 Les Bestiaires.
239 La Reine morte.
397 Les Célibataires.

CHARLES MORGAN
225-226 Fontaine.
311-312 Sparkenbroke.
470 Le Fleuve étincelant.

ROGER NIMIER
413-414 Le Hussard bleu.

O'FLAHERTY
506 Le Mouchard.

MARCEL PAGNOL
22 Marius.
74 Fanny.

161 César.
294 Topaze.
436 La Femme du Boulanger.

ALAN PATON
216-217 Pleure, ô Pays bien aimé.

ÉDOUARD PEISSON
257 Hans le Marin.

JACQUES PERRET
308-309 Le Caporal épinglé.

JOSEPH PEYRÉ
280 Matterhorn.
533-534 Sang et Lumières.

JACQUES PRÉVERT
239 Paroles.
515 Spectacle.

MARCEL PROUST
79 Un Amour de Swann.

OLIVE PROUTY
260-261 Stella Dallas.

RAYMOND QUENEAU
120 Pierrot mon Ami.

RAYMOND RADIGUET
119 Le Diable au Corps.
435 Le Bal du Comte d'Or-
gel.

M. K. RAWLINGS
139-140 Jody et le Faon.

E. M. REMARQUE
197 A l'Ouest rien de nouveau.

ROMAIN ROLLAND
42 Colas Breugnon.

MAZO DE LA ROCHE
12-13 Jalna.
52-53 Les Whiteoaks de Jalna.
121-122 Finch Whiteoak.
297-298 Le Maître de Jalna.
409-410 La Moisson de Jalna.

JULES ROMAINS
279 Les Copains.
345 Knock.